5학년이 꼭 알아야 할 수학 문장제

평가 일시 : 매년 상반기 6월, 하반기 11월 실시

참가 대상	초등 1학년 ~ 중등 3학년 (상급학년 응시가능)
신청 방법	1) KMA 홈페이지에서 온라인 접수 2) 해당지역 KMA 학원 접수처 3) 기타 문의 ☎ 070-4861-4832
홈페이지	www.kma-e.com

※ 상세한 내용은 홈페이지에서 확인해 주세요.

주 최 | 한국수학학력평가 연구원 주 관 | (주)에듀왕

초 3학년

◆ 단원 평가
◆ 실전 모의고사
◆ 최종 모의고사

한국수학학력평가 연구원
홈페이지 : www.kma-e.com

KMA 대비서

5학년이 꼭 알아야 할

수학 문장제

수학 문장제의 구성

1. 1학년부터 6학년까지 각 학년별 한 권씩으로 구성되어 있습니다.
2. 상위권 학생은 물론 중하위권 학생까지 누구나 쉽게 공부할 수 있도록 구성하였습니다.
3. 각종 수학 문장제를 해결하는 방법을 명쾌히 제시하여 수학 문장제에 자신감을 얻도록 하였습니다.
4. 자학자습용으로 뿐만 아니라 학원에서 특강용으로 활용할 수 있도록 구성하였습니다.

수학 문장제의 특징

탐구문제
각 문장제의 원리를 알 수 있도록 구성하였습니다.

확인문제
탐구문제에서 터득한 원리를 확인할 수 있도록 하였습니다.

동메달 따기
문장제의 기본 원리를 적용하여 문제 해결을 함으로써, 자신감을 갖도록 하였습니다.

은메달 따기
동메달 따기에서 얻은 자신감을 바탕으로 좀 더 향상된 문제해결력을 지닐 수 있도록 하였습니다.

금메달 따기
다소 발전적인 문제로 구성되어, 도전의식을 지니고 문제를 해결해 보도록 하였습니다.

Contents
차례

야호!!
금메달.

난 은메달.
수학 문장제
5학년
에쿠 동메달.. 그래두 좋아.

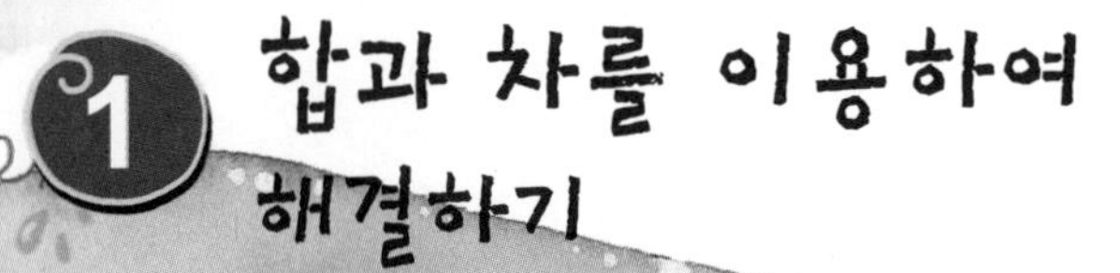

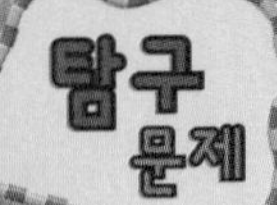

한초는 둘레의 길이가 90cm인 직사각형 모양의 한지로 연을 만들었습니다. 가로와 세로의 길이의 차가 5cm이고, 세로가 가로의 길이보다 더 길 때, 이 연의 세로의 길이를 구하시오.

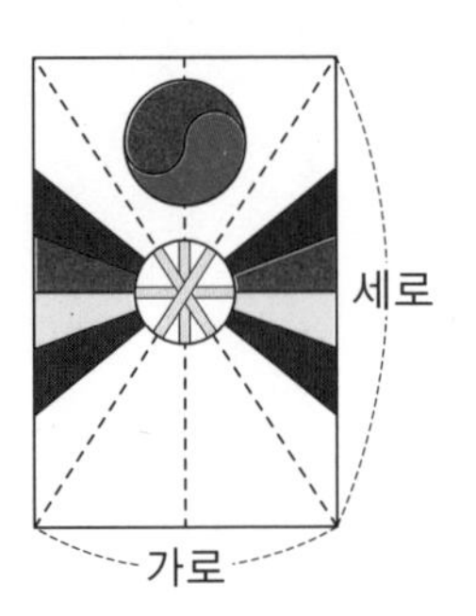

풀이 둘레가 90cm인 직사각형의 가로와 세로의 길이의 합은 $90 \div 2 = 45$(cm)입니다. 가로의 길이와 세로의 길이를 각각 선분으로 나타내어 보면,

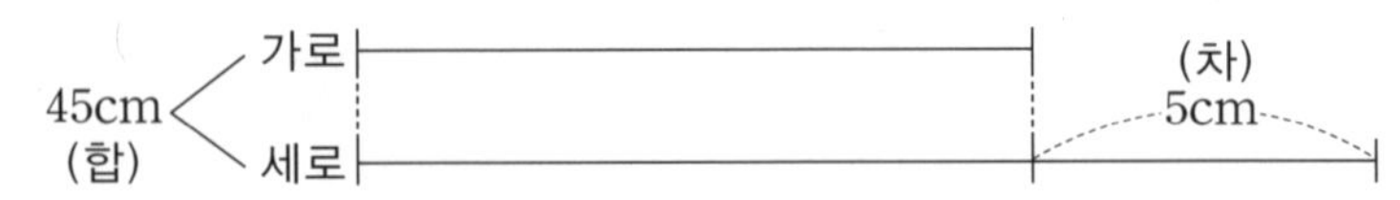

따라서, 이 연의 세로의 길이는 $(45+5) \div 2 = 25$(cm)입니다.

(직사각형의 둘레의 길이)
={(가로)+(세로)}×2

Check Point

두 수의 합과 차가 주어졌을 때,
(작은 수)=(합−차)÷2, (큰 수)=(합+차)÷2

확인 문제

율기는 어머니께 4500원을 용돈으로 받아서 학용품을 사고, 남은 돈을 저금하기로 했습니다. 학용품을 산 돈이 저금한 돈보다 900원 더 적을 때, 율기가 저금한 돈은 얼마인지 구하시오.

1 율기가 학용품을 산 돈과 저금한 돈을 각각 선분으로 나타내려고 합니다. □ 안에 알맞은 수를 써 넣으시오.

율기가 저금한 돈은 학용품을 산 돈보다 많으므로
➡ (합+차)÷2

2 두 수의 합과 차의 관계를 이용하여 율기가 저금한 돈은 얼마인지 구하시오.

(　　　　　　)

① 직사각형 모양의 화단의 둘레는 100m입니다. 화단의 가로의 길이가 세로의 길이보다 4m 더 길 때, 가로의 길이를 구하시오.

(직사각형 모양의 화단의 둘레의 길이)
={(가로)+(세로)}×2

풀이

답 ________

② 가영이네 반 학생 수는 모두 40명입니다. 그 중 안경을 쓴 학생은 안경을 쓰지 않은 학생보다 6명 더 적다고 할 때, 가영이네 반에서 안경을 쓴 학생은 몇 명인지 구하시오.

합이 40, 차가 6

풀이

답 ________

③ 길이가 1.8m인 막대를 2도막으로 자르려고 합니다. 긴 도막을 짧은 도막보다 40cm 더 길게 하려면, 긴 도막을 몇 cm로 해야 하는지 구하시오.

1m=100cm

풀이

답 ________

두 자연수를 큰 수와 작은 수로 나누어서 구해봅니다.

4 합이 54이고, 차가 12인 두 자연수가 있습니다. 두 자연수의 곱을 구하시오.

풀이

답 ________________

(형이 가진 돈)
=(동생이 가진 돈)
+2400원

5 아버지께서 주신 용돈 10000원을 영수와 동생이 나누어 갖기로 했습니다. 영수가 동생보다 2400원 더 가졌다면, 동생은 얼마를 가졌는지 구하시오.

답 ________________

(영수의 수학 점수)
=4×(맞힌 개수)

6 영수는 한 문제당 4점씩인 수학 문제 25개를 풀었습니다. 맞힌 문제의 개수가 틀린 문제의 개수보다 19개 더 많을 때, 영수의 수학 점수는 몇 점인지 구하시오.

답 ________________

생각의 샘

1 마라톤은 42.195km를 쉬지 않고 달리는 경기입니다. 율기가 마라톤을 하는데 앞으로 뛸 거리가 지금까지 뛴 거리보다 9.125km 더 길다면, 율기가 앞으로 뛰어야 할 거리는 몇 km인지 구하시오.

답 ______________

> 소수의 덧셈 계산 방법
> ① 소수점의 자리를 맞추어 씁니다.
> ② 자연수의 덧셈과 같은 방법으로 계산합니다.
> ③ 소수점을 그대로 내려 찍습니다.

2 규형이와 동민이가 계단에서 가위바위보를 하여 이기면 한 칸 올라가고, 지면 움직이지 않기로 하였습니다. 같은 곳에서 시작하여 가위바위보를 20번 하였더니, 규형이가 동민이보다 4칸 위에 있었습니다. 비기는 경우가 없다고 할 때, 규형이는 몇 번 이겼는지 구하시오.

풀이

답 ______________

> 규형이가 동민이보다 4칸 위에 있었습니다.
> ➡ 규형이가 동민이보다 4번 더 많이 이겼습니다.

3 가로의 길이가 세로의 길이보다 6cm 더 긴 직사각형이 있습니다. 직사각형의 둘레의 길이가 96cm일 때, 이 직사각형의 넓이를 구하시오.

답 ______________

> (직사각형의 넓이)
> =(가로)×(세로)

어린이 1명과 어른 1명의 입장료의 합을 먼저 알아냅니다.

4 어린이 2명과 어른 2명의 놀이공원의 입장료를 합하면 17400원이고, 어린이 1명의 입장료가 어른 1명의 입장료보다 3300원 더 쌀 때, 어른 1명과 어린이 1명의 입장료는 각각 얼마인지 구하시오.

풀이

답 ____________________

분홍색 테이프 1개와 보라색 테이프 1개의 길이의 합을 먼저 알아야 합니다.

5 분홍색 테이프 3개와 보라색 테이프 3개를 겹치는 부분 없이 이었더니 150cm가 되었습니다. 분홍색 테이프 1개의 길이가 보라색 테이프 1개의 길이보다 24cm 더 짧을 때, 분홍색 테이프 1개의 길이는 몇 cm인지 구하시오.

풀이

답 ____________________

(붓과 벼루 1세트의 가격)=(붓과 벼루 ▲세트의 가격)÷▲

6 붓과 벼루 4세트의 가격은 24000원입니다. 벼루가 붓보다 1200원 더 비싸다면, 붓 1자루의 가격은 얼마인지 구하시오.(단, 붓과 벼루 1세트는 붓 1자루, 벼루 1개입니다.)

풀이

답 ____________________

1 길이가 320cm인 철사를 똑같이 잘라 구부려 가로의 길이가 세로의 길이보다 4cm 더 짧은 직사각형 모양 4개를 만들었습니다. 만들어진 직사각형 모양 1개의 넓이를 구하시오.

직사각형 1개의 둘레는?
➡ 320÷4

풀이

답 ________

2 자전거 공장에서 세발자전거와 두발자전거를 합하여 모두 600대를 만들려고 합니다. 세발자전거의 수가 두발자전거의 수보다 42대 더 많게 만들 때, 세발자전거의 바퀴 수와 두발자전거의 바퀴 수의 차를 구하시오.

세발자전거 ●대의 바퀴 수 ➡ (3×●)개
두발자전거 ■대의 바퀴 수 ➡ (2×■)개

풀이

답 ________

3 주머니에 10원짜리, 50원짜리, 100원짜리 동전이 모두 40개 들어 있습니다. 10원짜리와 50원짜리 동전은 모두 31개이고, 10원짜리가 50원짜리 동전보다 11개 더 많다고 할 때, 주머니 안에 들어 있는 동전의 금액은 모두 얼마인지 구하시오.

10원짜리 ★개, 50원짜리 ●개, 100원짜리 ■개
➡ 10×★+50×●+100×■(원)

풀이

답 ________

2 거꾸로 생각하여 해결하기

탐구 문제

예슬이가 생각한 어떤 수에 8을 더하고 7를 곱한 후, 3을 빼고 2로 나누었더니 86이 되었습니다. 예슬이가 생각한 어떤 수를 구하시오.

풀이 문제를 그림으로 나타내면 다음과 같습니다.

㉮	$\xrightarrow{+8}$ $\xleftarrow[-8]{}$	㉯	$\xrightarrow{\times 7}$ $\xleftarrow[\div 7]{}$	㉰	$\xrightarrow{-3}$ $\xleftarrow[+3]{}$	㉱	$\xrightarrow{\div 2}$ $\xleftarrow[\times 2]{}$	86

㉱에 들어갈 수는 $86\times2=172$, ㉰에 들어갈 수는 $172+3=175$, ㉯에 들어갈 수는 $175\div7=25$, ㉮에 들어갈 수는 $25-8=17$입니다.

따라서, 예슬이가 생각한 어떤 수는 17입니다.

+를 거꾸로 하면 −
−를 거꾸로 하면 +
×를 거꾸로 하면 ÷
÷를 거꾸로 하면 ×

Check Point

주어진 결과로부터 거꾸로 계산하여 해결합니다.

확인 문제

한초는 가지고 있던 돈의 $\frac{3}{4}$으로 학용품을 샀습니다. 학용품을 사고 남은 돈이 3000원이라면, 처음에 한초가 가지고 있던 돈은 얼마인지 구하시오.

1 처음에 한초가 가지고 있던 돈을 1로 하고, 문제를 그림으로 나타내면 다음과 같습니다. 빈 칸에 알맞은 분수를 써 넣으시오.

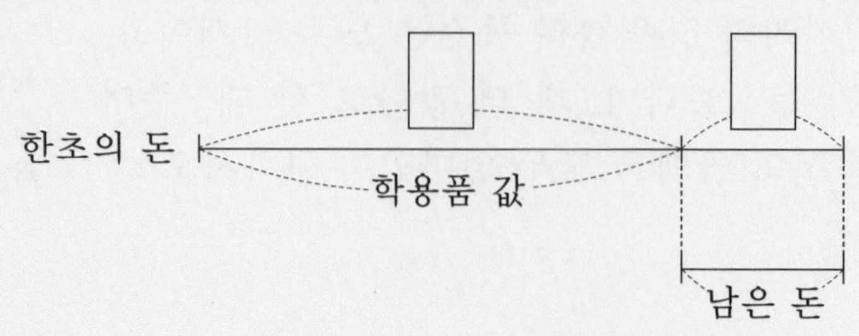

$\frac{3}{4}$은 전체를 똑같이 4로 나눈 것 중 3이므로 학용품을 사고 난 뒤 남은 돈은 전체를 똑같이 4로 나눈 것 중 1이예요.

2 한초가 학용품을 사고 남은 돈은 얼마입니까?

(　　　　　　　　)

3 한초가 처음 가지고 있던 돈은 얼마입니까? (　　　　　　　　)

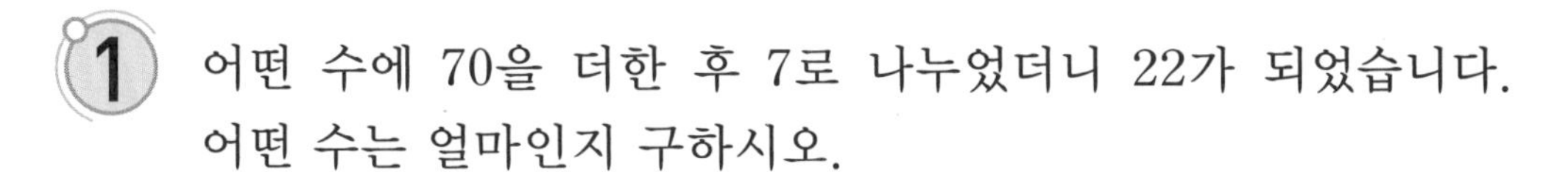

1 어떤 수에 70을 더한 후 7로 나누었더니 22가 되었습니다. 어떤 수는 얼마인지 구하시오.

> 덧셈을 거꾸로 하면 뺄셈, 나눗셈을 거꾸로 하면 곱셈입니다.

풀이

답 ______________

2 규형이는 지난 주에 받은 용돈으로 공책과 연필을 사는데 970원을 사용하고, 빵과 음료수를 사 먹는 데 1500원을 사용하였습니다. 남은 돈이 530원이었다면, 규형이가 지난 주에 받은 용돈은 얼마인지 구하시오.

> (규형이가 쓴 돈)
> =(공책과 연필을 산 돈)
> +(빵과 음료수를 산 돈)

풀이

답 ______________

3 어떤 수를 27로 나누어야 할 것을 잘못해서 72로 나누었더니 몫이 12, 나머지가 38이 되었습니다. 바르게 계산할 때, 몫과 나머지의 합은 얼마인지 구하시오.

> 검산식을 이용합니다.

풀이

답 ______________

◆원짜리 공책 ●권의 값 =(◆×●)원

4 지혜는 아버지께 받은 1500원과 가지고 있던 돈을 합하여 350원짜리 공책 3권을 샀습니다. 공책을 사고 남은 돈이 1200원이었다면, 지혜가 처음에 가지고 있던 돈은 얼마인지 구하시오.

풀이

답 ____________

먼저 5명이 나누어 갖기 전 사탕의 개수를 구하고, 12모둠에 나누어 주기 전 사탕의 개수를 구해봅니다.

5 선생님께서 가지고 계시던 사탕을 똑같이 12모둠에 나누어 주셨습니다. 우리 모둠 5명은 그것을 똑같이 나누어 가졌고, 내가 받은 사탕의 개수는 3개입니다. 선생님께서 처음에 가지고 계셨던 사탕의 개수를 구하시오.

풀이

답 ____________

어머니와 동민이, 아버지의 몸무게 사이의 관계를 그림으로 나타내어봅니다.

6 동민이의 몸무게는 어머니보다 19kg이 적고, 아버지의 몸무게는 동민이 몸무게의 2배입니다. 아버지의 몸무게가 68kg일 때, 어머니의 몸무게는 몇 kg인지 구하시오.

풀이

답 ____________

은메달 따기

생각의 샘

1 율기는 300원짜리 공책 2권과 500원짜리 공책 몇 권을 사고 5000원을 냈습니다. 거슬러 받은 돈이 1900원일 때, 율기가 산 500원짜리 공책은 몇 권인지 구하시오.

(300원짜리 공책 2권의 값)=(300×2)원

풀이

답 ________________

2 가영이는 오늘 2000원을 저금하였습니다. 오늘 저금한 돈은 어제까지 저금한 돈의 2배보다 200원이 더 많다고 합니다. 가영이가 오늘까지 저금한 돈은 모두 얼마인지 구하시오.

(오늘까지 저금한 돈)=(어제까지 저금한 돈)+(오늘 저금한 돈)

풀이

답 ________________

3 한초의 어머니께서는 500mL씩 들어 있는 우유를 6통 사 오셨습니다. 이 중에서 삼촌에게 몇 통을 드리고, 한 통의 $\frac{1}{2}$을 한초가 마셨더니 남은 우유가 1250mL이었습니다. 삼촌에게 몇 통의 우유를 드렸는지 구하시오.

500mL씩 6통 ➡ (500×6)mL

풀이

답 ________________

석기가 저축한 금액은 전체 금액의 반입니다.

4 석기는 일 주일 동안 모은 1000원과 아버지께서 주신 용돈을 합하여 그 중 $\frac{1}{2}$은 저축하고, 나머지로 1200원짜리 카드를 샀더니 1500원이 남았습니다. 아버지께서 주신 용돈은 얼마인지 구하시오.

풀이

답 ____________

(한초가 가지고 있었던 돈의 반의 반)=500(원)

5 한초는 서점에서 가진 돈의 $\frac{1}{2}$을 쓰고, 문방구점에서 남은 돈의 $\frac{1}{2}$을 썼더니 500원이 남았습니다. 처음에 한초가 가지고 있던 돈은 얼마인지 구하시오.

풀이

답 ____________

(영수가 남긴 철사의 길이)=(한별이가 남긴 철사의 길이)+6cm

6 영수와 한별이는 각각 철사를 사용하여 미술 작품을 만들었습니다. 영수는 철사의 $\frac{3}{5}$을 사용하였고, 한별이는 10cm를 남겼습니다. 영수가 남긴 길이는 한별이가 남긴 길이보다 6cm 더 길 때, 영수가 처음에 가지고 있던 철사의 길이는 몇 cm인지 구하시오.

풀이

답 ____________

1 영수는 하루의 몇 시간은 잠을 자고, 그 나머지의 $\frac{1}{8}$은 공부를 하고, 그 나머지의 $\frac{2}{7}$인 4시간은 TV를 보거나 컴퓨터 게임을 하면서 시간을 보냅니다. 영수가 하루 중 잠을 자는 시간은 몇 시간인지 구하시오.

어떤 수의 $\frac{2}{7}$가 4이면 어떤 수는?
➡ 4÷2×7

풀이

답 ____________

2 율기는 처음 가게에서 가진 돈의 $\frac{1}{3}$을 쓰고, 둘째 번 가게에서 남은 돈의 $\frac{1}{3}$을 썼습니다. 셋째 번 가게에서도 남은 돈의 $\frac{1}{3}$을 쓰고 240원이 남았다면, 율기가 처음에 가지고 있던 돈은 얼마인지 구하시오.

전체의 $\frac{1}{3}$을 쓰면 $\frac{2}{3}$가 남습니다.

풀이

답 ____________

3 예슬이는 가지고 있던 돈의 $\frac{1}{3}$보다 400원 많은 돈을 저축하고, 나머지의 $\frac{1}{4}$보다 500원 많은 돈으로 공책을 샀습니다. 또, 공책을 사고 난 나머지의 $\frac{4}{5}$보다 200원 적은 돈으로 연필을 샀더니 1000원이 남았습니다. 예슬이가 처음에 가지고 있던 돈은 얼마인지 구하시오.

선분도를 이용하여 거꾸로 해결합니다.

풀이

답 ____________

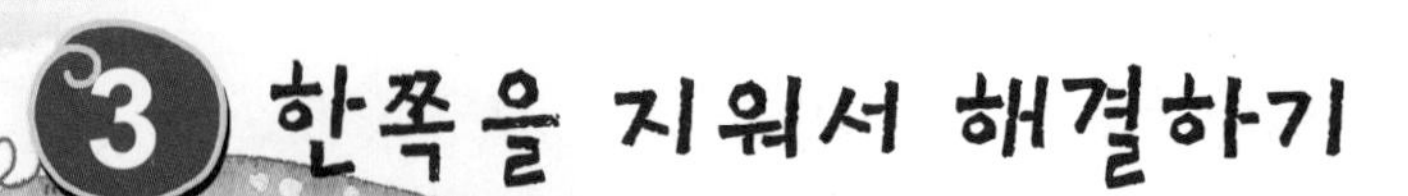

3 한쪽을 지워서 해결하기

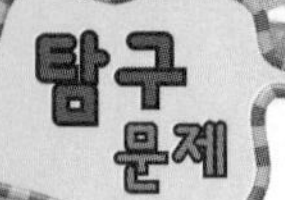

어느 꽃가게에서 바구니에 장미꽃 12송이를 담아서 팔면 6500원이고, 같은 바구니에 장미꽃 17송이를 담아서 팔면 9000원이라고 합니다. 바구니만의 값은 얼마인지 구하시오.

풀이 장미꽃 12송이가 들어 있는 바구니와 장미꽃 17송이가 들어 있는 바구니는 장미꽃 5송이만큼의 차이가 납니다.

6500원

9000원

장미꽃 5송이의 가격은 $9000-6500=2500$(원)이므로 장미꽃 1송이의 가격은 $2500\div5=500$(원)입니다.
따라서, (바구니만의 가격)=(장미꽃과 바구니의 가격)−(장미꽃의 가격)이므로 $6500-(12\times500)=500$(원)입니다.

꼼꼼 돌다리
장미꽃 1송이의 가격 ➡ ■원
장미꽃 ●송이의 가격 ➡ ■×●원

Check Point
같은 부분끼리 서로 없앤 뒤, 나머지끼리의 차를 이용하여 해결합니다.

확인 문제

감자 3kg과 고구마 4kg의 가격은 11700원이고, 같은 감자 6kg과 고구마 4kg의 가격은 16200원입니다. 고구마 4kg의 값은 얼마인지 구하시오.

1 감자 3kg과 고구마 4kg은 감자 6kg과 고구마 4kg과의 관계에서 어떤 차이가 있습니까?

( )

감자 3kg의 값을 먼저 구해보세요.

2 고구마 4kg의 값은 얼마인지 구하시오.

( )

1 공장에서 책상 2개와 의자 3개를 만드는 데 사용되는 합판의 넓이는 9200cm^2이고, 같은 책상 3개와 의자 3개를 만드는 데 사용되는 합판의 넓이는 11400cm^2입니다. 책상 1개를 만드는 데 사용되는 합판의 넓이는 몇 cm^2인지 구하시오.

책상 1개만큼의 차이가 납니다.

풀이

답 ____________

2 복숭아 통조림 3개와 파인애플 통조림 4개의 무게는 $8\frac{1}{2}$kg이고, 같은 복숭아 통조림 2개와 파인애플 통조림 3개의 무게는 $6\frac{1}{6}$kg입니다. 복숭아 통조림 1개와 파인애플 통조림 1개의 무게의 합은 몇 kg인지 구하시오.

복숭아 통조림끼리의 차이는 1개, 파인애플 통조림끼리의 차이도 1개

풀이

답 ____________

3 노란색 테이프 1개와 파란색 테이프 1개를 겹치는 부분 없이 이었을 때의 길이는 $\frac{11}{14}$m이고, 같은 노란색 테이프 2개와 파란색 테이프 3개를 겹치는 부분 없이 이었을 때의 길이는 $2\frac{1}{7}$m입니다. 이 노란색 테이프 1개와 파란색 테이프 2개를 겹치는 부분 없이 이었을 때의 길이는 몇 m인지 구하시오.

노란색 테이프끼리의 차이가 1개, 파란색 테이프끼리의 차이는 2개

풀이

답 ____________

연필 1다스는 12자루입니다.

4 무게가 같은 연필 1다스가 들어 있는 필통의 무게는 590g입니다. 이 필통에서 연필 3자루를 꺼낸 후 다시 무게를 재었더니 515g이었다면, 필통만의 무게는 몇 g인지 구하시오.

답 ________________

빈 통의 무게는 서로 같으므로 구슬 개수의 차이가 무게의 차이입니다.

5 빈 통에 무게가 같은 구슬 30개를 넣고 무게를 재었더니 870g이고, 같은 통에 구슬 50개를 넣고 무게를 재었더니 1350g이었습니다. 구슬 5개의 무게는 몇 g인지 구하시오.

답 ________________

6 컴퍼스 6개와 자 5개의 가격은 8250원이고, 컴퍼스 9개와 자 5개의 가격은 11250원입니다. 자 7개를 사려면 얼마가 필요한지 구하시오.

답 ________________

1 무게가 똑같은 사과 46개가 들어 있는 상자의 무게는 10.62 kg이고, 처음 사과 수의 $\frac{1}{2}$을 먹고 난 후의 상자의 무게는 6.02kg입니다. 상자만의 무게는 몇 kg인지 구하시오.

(상자만의 무게)
=(사과가 들어 있는 상자의 무게)−(사과만의 무게)

풀이

답 ________________

2 지혜가 실험 전에 병에 들어 있는 석회수의 무게를 재었더니 1090g이었고, 실험 과정에서 석회수의 $\frac{1}{3}$을 사용한 후 다시 병의 무게를 재었더니 810g이었습니다. 병만의 무게는 몇 g인지 구하시오.

(석회수만의 무게)
=(석회수의 $\frac{1}{◆}$의 무게)
×◆

풀이

답 ________________

3 동민이네 가게에서 어제 하루 동안 귤 35개와 토마토 28개를 판 가격은 16450원이었습니다. 오늘 귤은 어제와 같은 수만큼 팔고, 토마토는 어제보다 21개 더 팔았더니 24850원이었습니다. 귤 4개와 토마토 6개의 가격의 합은 얼마인지 구하시오.

풀이

답 ________________

(바구니만의 무게)
=(배가 들어 있는 바구니의 무게)-(배만의 무게)

4 무게가 같은 배 9개가 들어 있는 바구니의 무게를 달아 보니 6.46kg이고, 같은 배 4개가 들어 있는 바구니의 무게를 달아 보니 3.31kg이었습니다. 빈 바구니만의 무게는 몇 kg인지 구하시오.

풀이

답 ________________

(병 ●개의 무게)
=(병 1개의 무게)×●

5 같은 크기의 병이 26개 들어 있는 상자의 무게는 $21\frac{1}{10}$kg이고, 상자만의 무게는 $1\frac{3}{5}$kg입니다. 이 병 15개의 무게는 몇 kg 몇 g인지 구하시오.

풀이

답 ________________

호떡 1개와 도넛 1개의 값은?
➡ (2200÷2)원

6 호떡 1개의 값은 도넛 1개의 값보다 100원 비싸고, 같은 호떡 2개와 도넛 2개의 값은 2200원입니다. 호떡 1개의 값은 얼마인지 구하시오.

풀이

답 ________________

1 각각 두께가 똑같은 책 16권과 공책 5권을 쌓은 후 높이를 재었더니 14.98cm였고, 같은 책 12권과 공책 5권을 쌓은 후 높이를 재었더니 11.86cm였습니다. 이 책 1권과 공책 1권을 쌓았을 때의 높이는 몇 cm인지 구하시오.

책 4권의 높이가 몇 cm인지 먼저 구합니다.

풀이

답 ______________

2 노란 구슬 1개의 무게는 파란 구슬 1개의 무게보다 1.5g 가볍고, 같은 노란 구슬 2개와 파란 구슬 6개의 무게는 81g입니다. 노란 구슬 1개와 파란 구슬 1개의 무게는 각각 몇 g인지 구하시오.

파란 구슬 1개는 노란 구슬 1개보다 1.5g 더 무겁습니다.

풀이

답 ______________

3 지우개와 연필의 값의 합은 750원, 연필과 공책의 값의 합은 1000원, 지우개와 공책의 값의 합은 850원입니다. 지우개, 연필, 공책의 값을 각각 구하시오.

지우개 1개, 연필 1자루, 공책 1권의 값의 합을 구해봅니다.

풀이

답 ______________

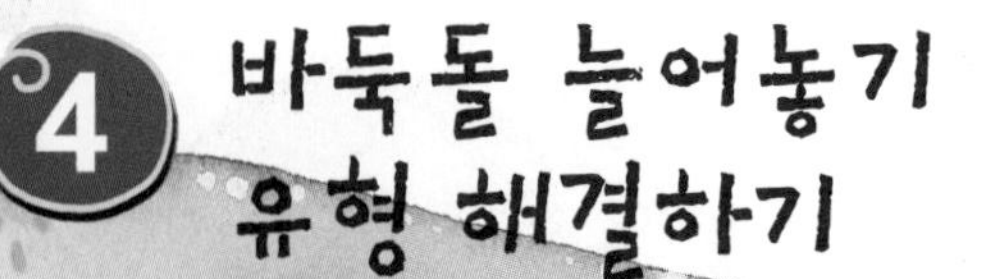

4 바둑돌 늘어놓기 유형 해결하기

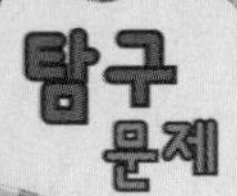

바둑돌을 가로와 세로에 8개씩 빈틈없이 늘어놓아 정사각형을 만들었습니다. 둘레에 놓인 바둑돌의 개수는 몇 개인지 구하시오.

풀이 오른쪽 그림과 같이 둘레에 놓인 바둑돌을 4등분 하여 생각합니다.
따라서, 둘레에 놓인 바둑돌의 개수는 $(8-1)\times4=28$(개)입니다.

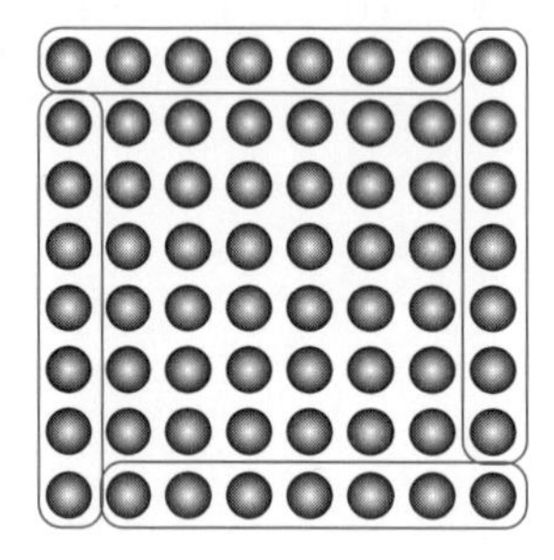

꼼꼼 돌다리
한 묶음 안에 들어 있는 바둑돌은 한 변에 놓인 바둑돌보다 1개 적은 7개예요.

Check Point

- 정사각형으로 늘어놓을 때
  (둘레의 개수)={(한 변의 개수)−1}×4
  (한 변의 개수)={(둘레의 개수)÷4}+1
- 직사각형으로 늘어놓을 때
  (둘레의 개수)
  ={(가로의 개수)+(세로의 개수)−2}×2

확인 문제

크기가 같은 구슬을 가로와 세로에 각각 22개씩 빈틈없이 늘어놓아 정사각형을 만들었습니다. 둘레에 놓인 구슬의 개수를 구하시오.

1 정사각형 모양에는 구슬이 몇 개 있는지 구하시오.

( )

2 둘레에 놓인 구슬을 똑같이 4묶음으로 묶으면 한 묶음에는 몇 개의 구슬이 들어 있습니까?

( )

(한 묶음의 구슬 수)
=(한 변의 개수)−1

3 둘레에 놓인 구슬의 개수를 구하시오.

( )

1 정사각형 모양의 지우개를 가로로 40개씩, 세로로 몇 개씩 빈틈없이 늘어놓아 직사각형을 만들었습니다. 지우개 전체의 개수가 1480개라면, 세로에는 지우개를 몇 개씩 놓은 것인지 구하시오.

(지우개 전체의 개수)=(가로에 놓인 지우개의 개수)×(세로에 놓인 지우개의 개수)

풀이

답 ____________

2 바둑돌을 가로와 세로에 25개씩 빈틈없이 늘어놓아 정사각형을 만들었습니다. 정사각형의 둘레에 놓인 바둑돌은 몇 개인지 구하시오.

둘레에 놓인 바둑돌을 4묶음으로 묶어 봅니다.

풀이

답 ____________

3 100원짜리 동전을 가로와 세로에 33개씩 빈틈없이 늘어놓아 정사각형을 만들었습니다. 정사각형의 둘레에 놓인 동전은 몇 개인지 구하시오.

풀이

답 ____________

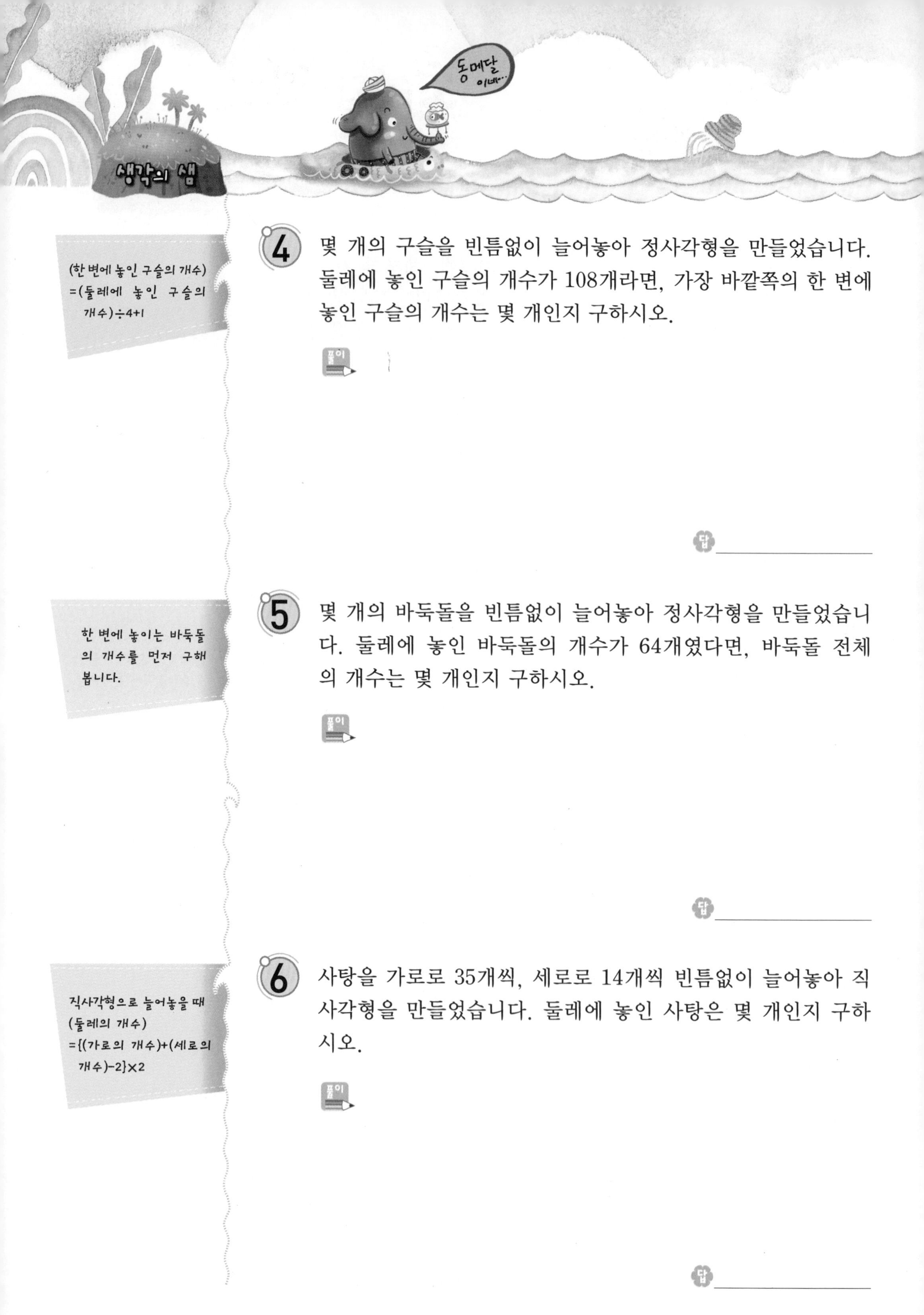

(한 변에 놓인 구슬의 개수)
=(둘레에 놓인 구슬의 개수)÷4+1

4 몇 개의 구슬을 빈틈없이 늘어놓아 정사각형을 만들었습니다. 둘레에 놓인 구슬의 개수가 108개라면, 가장 바깥쪽의 한 변에 놓인 구슬의 개수는 몇 개인지 구하시오.

풀이

답 ______________

한 변에 놓이는 바둑돌의 개수를 먼저 구해 봅니다.

5 몇 개의 바둑돌을 빈틈없이 늘어놓아 정사각형을 만들었습니다. 둘레에 놓인 바둑돌의 개수가 64개였다면, 바둑돌 전체의 개수는 몇 개인지 구하시오.

풀이

답 ______________

직사각형으로 늘어놓을 때
(둘레의 개수)
={(가로의 개수)+(세로의 개수)−2}×2

6 사탕을 가로로 35개씩, 세로로 14개씩 빈틈없이 늘어놓아 직사각형을 만들었습니다. 둘레에 놓인 사탕은 몇 개인지 구하시오.

풀이

답 ______________

생각의 샘

1 정사각형 모양의 색종이를 가로와 세로 모두 18장씩 빈틈없이 늘어놓아 정사각형을 만들었습니다. 둘레에 놓인 색종이의 색깔은 빨간색이고, 안쪽에 놓인 색종이의 색깔은 노란색일 때, 노란 색종이는 모두 몇 장인지 구하시오.

안쪽의 모양은 노란 색종이를 빈틈없이 늘어놓아 만든 정사각형입니다.

답 ____________

2 크기가 같은 구슬을 가로로 26개씩, 세로로 30개씩 빈틈없이 늘어놓아 직사각형을 만들었습니다. 둘레에 놓인 구슬의 색깔은 초록색이고, 안쪽에 놓인 구슬의 색깔은 보라색일 때, 보라색 구슬은 모두 몇 개인지 구하시오.

답 ____________

3 10원짜리 동전을 빈틈없이 늘어놓아 정사각형을 만들었습니다. 놓인 동전의 개수가 121개일 때, 정사각형의 둘레에 놓인 동전의 개수를 구하시오.

정사각형의 가로와 세로에 놓인 동전의 개수는 같습니다.

답 ____________

한 번 더 에워쌀 때, 한 변에 놓이는 카드의 수는 2장 더 많아집니다.

4 정사각형 모양의 카드를 가로와 세로에 27장씩 빈틈없이 늘어놓아 정사각형을 만들었습니다. 이 정사각형의 둘레를 한 번 더 에워쌀 때, 카드는 몇 장이 더 필요한지 구하시오.

풀이

답 ____________

(둘레에 놓인 동전의 금액)÷50
=(둘레에 놓인 동전의 수)

5 50원짜리 동전을 빈틈없이 늘어놓아 정사각형을 만들었습니다. 둘레에 놓인 동전의 금액이 1600원이라면, 정사각형을 만드는 데 필요한 동전의 총 금액은 얼마인지 구하시오.

답 ____________

●의 $\frac{7}{9}$ ➡ ●×$\frac{7}{9}$

6 바둑돌을 빈틈없이 늘어놓아 정사각형을 만들었더니 놓인 바둑돌의 수가 324개였습니다. 이 정사각형의 한 변에 놓인 바둑돌의 수의 $\frac{7}{9}$을 한 변으로 하는 정사각형을 만들 때 필요한 바둑돌은 몇 개인지 구하시오.

답 ____________

1 100원짜리 동전을 가로와 세로에 각각 5열씩 늘어놓아 그림과 같이 속이 빈 정사각형 모양이 되게 하였습니다. 가장 바깥쪽 한 변의 동전의 개수가 21개라면, 사용된 동전의 총 금액은 얼마인지 구하시오.

> 동전을 4묶음으로 묶으면 한 묶음 안에는 가로로 16개, 세로로 5개가 놓입니다.

풀이

답 ____________

2 정사각형 모양의 우표가 여러 장 있습니다. 이 우표를 빈틈없이 늘어놓아 정사각형을 만들고 나니 56장이 남아서 가로와 세로를 각각 한 변씩 늘렸더니 또 5장이 남았습니다. 우표는 모두 몇 장인지 구하시오.

> 가로와 세로를 각각 한 변씩 늘리는 데 우표가 (56−5)장이 사용되었습니다.

풀이

답 ____________

3 몇 개의 작은 정사각형 타일을 빈틈없이 늘어놓아 큰 정사각형을 만들고 나니 42개의 타일이 남아서 가로와 세로를 각각 한 변씩 늘리려고 하였더니 11개의 타일이 부족하였습니다. 타일의 개수는 모두 몇 개인지 구하시오.

> 가로와 세로를 각각 한 변씩 늘리는 데 타일이 (42+11)장 사용됩니다.

풀이

답 ____________

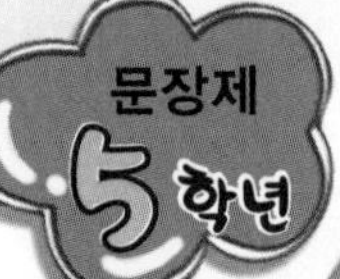

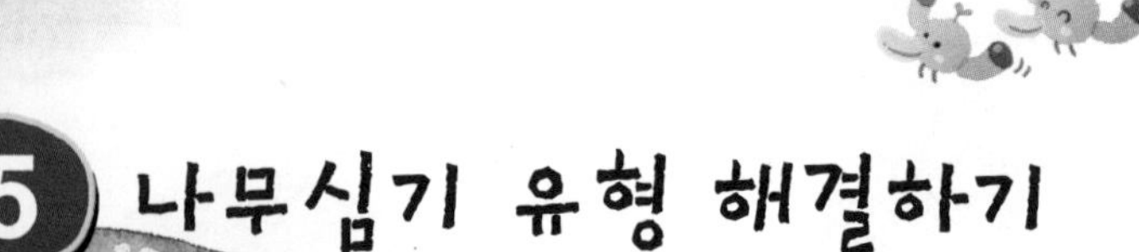

5 나무심기 유형 해결하기

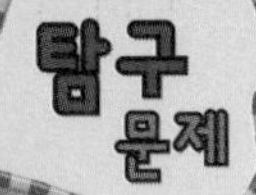

1000m 길이의 도로에 8m 간격으로 나무를 심으려고 합니다. 도로의 처음과 끝에도 반드시 나무를 심으려고 할 때, 물음에 답하시오.

(1) 도로의 한쪽에만 나무를 심는다면 몇 그루가 필요한지 구하시오.

(2) 도로의 양쪽에 나무를 심는다면 몇 그루가 필요한지 구하시오.

풀이 (1) 간격의 수는 $1000 \div 8 = 125$(개)이므로 도로의 한쪽에 필요한 나무의 수는 $125 + 1 = 126$(그루)입니다.

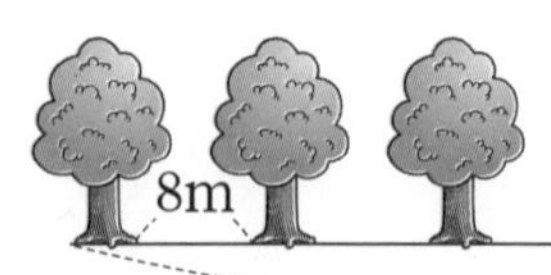

1000m

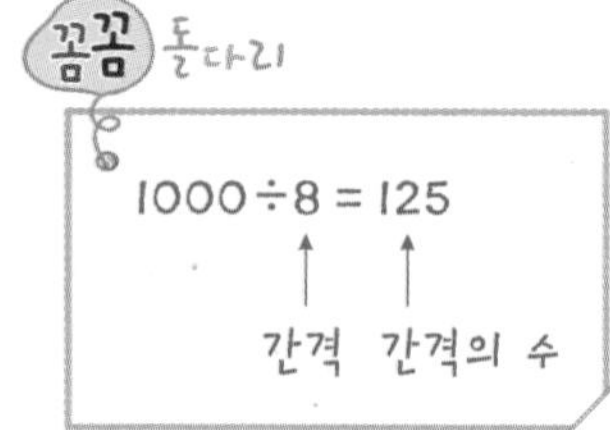

(2) 도로의 양쪽에 필요한 나무의 수는 $126 \times 2 = 252$(그루)입니다.

Check Point

- 처음과 끝에 나무를 심을 때 : (나무의 수)=(간격의 수)+1
- 처음과 끝에 나무를 심지 않을 때 : (나무의 수)=(간격의 수)−1
- 둥근 연못 등에 나무를 심을 때 : (나무의 수)=(간격의 수)

확인 문제

길이가 1.4km인 도로의 양쪽에 25m 간격으로 가로등을 세우려고 합니다. 가로등은 모두 몇 개를 세우게 되는지 구하시오. (단, 도로의 처음과 끝에도 가로등을 세웁니다.)

> 1.4km를 1400m로 고쳐서 계산하세요~

1 간격은 몇 개인지 식을 세워 구하시오.

( )

2 도로 한쪽에 가로등은 몇 개를 세우게 되는지 구하시오.

( )

3 도로 양쪽에 가로등은 몇 개를 세우게 되는지 구하시오.

( )

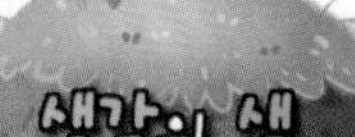

1 길이가 2100m인 도로의 한쪽에 35m 간격으로 가로수를 심으려고 합니다. 가로수는 몇 그루가 필요한지 구하시오. (단, 도로의 처음과 끝에도 가로수를 심습니다.)

처음과 끝에도 나무를 심을 때
(나무의 수)
=(간격의 수)+1

풀이

답 ____________

2 길이가 3km 796m인 다리 양쪽에 가로등을 52m 간격으로 세웠습니다. 다리의 처음과 끝에도 가로등을 세웠다면, 가로등은 몇 개인지 구하시오.

풀이

답 ____________

3 길이가 0.98km인 터널의 한쪽에 28m 간격으로 조명을 설치하려고 합니다. 터널의 처음과 끝에는 조명을 설치하지 않는다고 할 때, 조명은 몇 개가 필요한지 구하시오.

처음과 끝에 조명을 설치하지 않으면 조명의 수는 간격의 수보다 1개 더 적습니다.

풀이

답 ____________

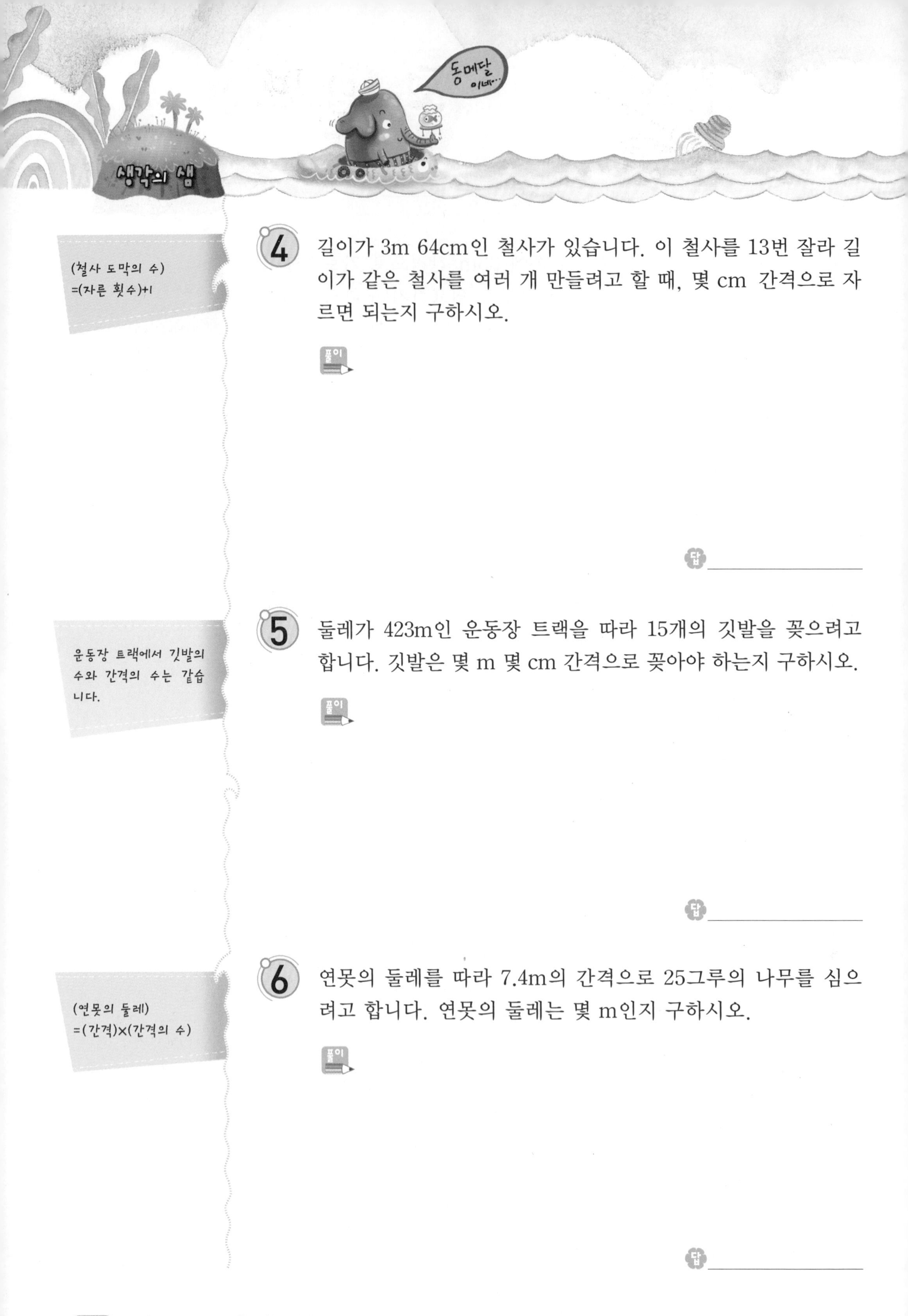

(철사 도막의 수)
=(자른 횟수)+1

4 길이가 3m 64cm인 철사가 있습니다. 이 철사를 13번 잘라 길이가 같은 철사를 여러 개 만들려고 할 때, 몇 cm 간격으로 자르면 되는지 구하시오.

풀이

답 ______________

운동장 트랙에서 깃발의 수와 간격의 수는 같습니다.

5 둘레가 423m인 운동장 트랙을 따라 15개의 깃발을 꽂으려고 합니다. 깃발은 몇 m 몇 cm 간격으로 꽂아야 하는지 구하시오.

풀이

답 ______________

(연못의 둘레)
=(간격)×(간격의 수)

6 연못의 둘레를 따라 7.4m의 간격으로 25그루의 나무를 심으려고 합니다. 연못의 둘레는 몇 m인지 구하시오.

풀이

답 ______________

1 강의 다리 위에 가로등이 37m 간격으로 세워져 있습니다. 다리의 양쪽에 세워진 가로등은 모두 98개이고, 처음과 끝에도 가로등이 세워져 있다면, 다리의 길이는 몇 m인지 구하시오.

다리의 한쪽에 세워져 있는 가로등의 수는 98÷2(개)입니다.

풀이

답 ____________

2 한초네 집 앞과 학교 앞에는 전봇대가 세워져 있습니다. 두 전봇대 사이의 거리는 360m이고, 두 전봇대 사이에 20m 간격으로 나무를 심으려고 합니다. 나무는 모두 몇 그루 필요한지 구하시오. (단, 전봇대에서 첫째 번 나무 사이, 마지막 나무에서 전봇대 사이의 간격은 모두 10m입니다.)

첫째 번 나무와 마지막 나무 사이의 거리를 먼저 구해 봅니다.

풀이

답 ____________

3 둘레의 길이가 432m인 연못의 둘레에 16m 간격으로 기둥을 세우려고 합니다. 준비된 기둥이 24개라면, 기둥은 몇 개가 더 필요한지 구하시오.

풀이

답 ____________

4 길이가 405m인 도로의 양쪽에 15m 간격으로 나무를 심으려고 합니다. 도로의 처음과 끝에는 나무를 심지 않고, 준비된 나무가 60그루라면, 나무는 몇 그루가 남는지 구하시오.

풀이

답 ______________

(장미꽃나무의 수)
=(밤나무를 심은 간격의 수)×2

5 둘레의 길이가 528m인 호수의 둘레에 22m 간격으로 밤나무를 심고, 밤나무와 밤나무 사이에 장미꽃나무를 2그루씩 심으려고 합니다. 나무는 모두 몇 그루가 필요한지 구하시오.

풀이

답 ______________

(소나무를 사는 데 드는 비용)
=(소나무 한 그루의 값)×(소나무의 수)

6 길이가 1km 935m인 산책로의 한쪽에 소나무를 45m 간격으로 심으려고 합니다. 소나무 한 그루의 값이 7500원일 때, 필요한 소나무를 사는 데 드는 비용은 얼마인지 구하시오. (단, 산책로의 처음과 끝에도 소나무를 심습니다.)

풀이

답 ______________

1 길이가 2m 88cm인 색 테이프를 길이가 같게 반으로 자른 후, 각각 다시 16cm 간격으로 모두 잘랐습니다. 색 테이프는 모두 몇 번 자른 것인지 구하시오.

2m 88cm짜리 색 테이프를 한 번 자르면 길이가 반으로 나누어집니다.

풀이

답 ________

2 가로의 길이가 12cm, 세로의 길이가 15cm인 직사각형 모양의 카드를 겹치지 않게 늘어놓아 가장 작은 정사각형을 만들었습니다. 만들어진 정사각형의 둘레에 6cm 간격으로 점을 찍으려고 할 때, 점은 몇 개 찍을 수 있는지 구하시오. (단, 정사각형의 네 꼭지점에는 반드시 점을 찍습니다.)

정사각형의 한 변의 길이는 12cm와 15cm의 공배수 중 가장 작은 수입니다.

풀이

답 ________

3 가로가 8m 60cm인 벽에 가로가 36cm인 그림을 일렬로 붙이려고 합니다. 벽과 그림 사이, 그림과 그림 사이의 간격을 모두 같게 하여 15개를 붙이려면, 간격은 몇 cm로 해야 하는지 구하시오.

8m 60cm
36cm
…

그림을 붙였을 때, 간격의 수는 그림의 수보다 1개 더 많습니다.

풀이

답 ________

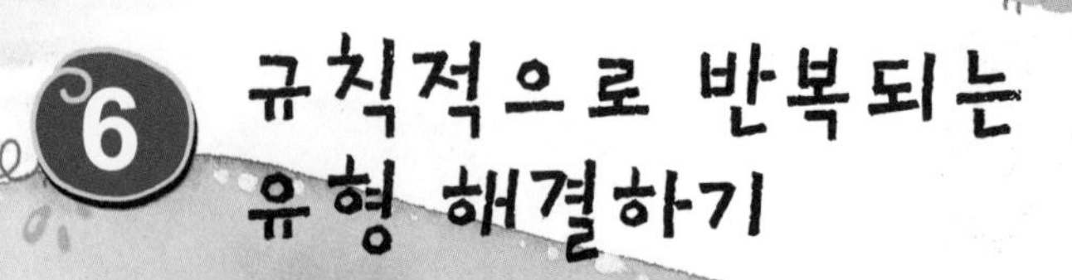

6 규칙적으로 반복되는 유형 해결하기

탐구 문제

다음과 같은 규칙으로 수를 늘어놓았습니다. 387째 번에 올 수는 무엇인지 구하시오.

5, 4, 1, 7, 9, 6, 5, 4, 1, 7, 9, 6, 5, 4, 1, 7, 9, 6, 5, 4, …

풀이 반복되는 5, 4, 1, 7, 9, 6을 한 묶음으로 생각하면
$387 \div 6 = 64 \cdots 3$입니다.
따라서, 387째 번 수는 65째 번 묶음의 3번째 수이므로 1입니다.

꼼꼼 돌다리

$$
\begin{array}{r}
64 \\
6\overline{)387} \\
36 \\
\hline
27 \\
24 \\
\hline
3
\end{array}
$$

387째 번 수는 반복되는 부분의 3번째 수와 같아요.

Check Point

전체를 반복되는 부분의 개수로 나누어 몫과 나머지를 구하여 해결합니다.

확인 문제

다음과 같은 규칙으로 바둑돌이 447개 놓여 있습니다. 이 중에서 흰색 바둑돌은 몇 개인지 구하시오.

1 반복되는 부분을 묶어 보시오.

2 반복되는 부분은 몇 묶음이 되고, 몇 개가 남는지 식을 세워 구하시오.

(　　　　　　　　　　)

3 흰색 바둑돌은 몇 개 있는지 식을 세워 구하시오.

(　　　　　　　　　　)

반복되는 부분 안에 흰색 바둑돌이 몇 개 들어 있는지 알아보세요.

1 다음과 같이 수를 규칙적으로 늘어놓았습니다. 416째 번에 올 수는 무엇인지 구하시오.

9, 7, 5, 3, 1, 2, 4, 9, 7, 5, 3, 1, 2, 4, 9, 7, 5, …

반복되는 부분을 알아봅니다.

풀이

답 ____________

2 다음과 같은 규칙으로 바둑돌이 291개 놓여 있습니다. 이 중에서 검은색 바둑돌은 몇 개인지 구하시오.

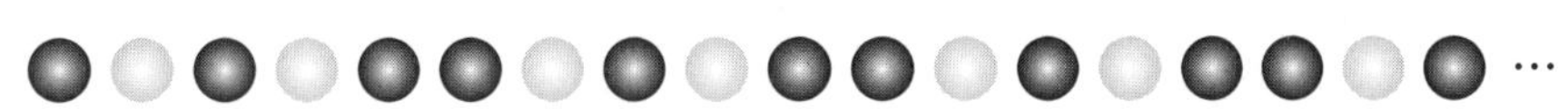

규칙을 찾아 반복되는 부분 안에 검은색 바둑돌이 몇 개인지 알아봅니다.

풀이

답 ____________

3 그림과 같이 타일을 규칙적으로 705장 늘어놓는다면, 파란색 타일은 몇 장 필요한지 구하시오.

전체를 반복되는 부분의 개수로 나누어 몫과 나머지를 구해 봅니다.

풀이

답 ____________

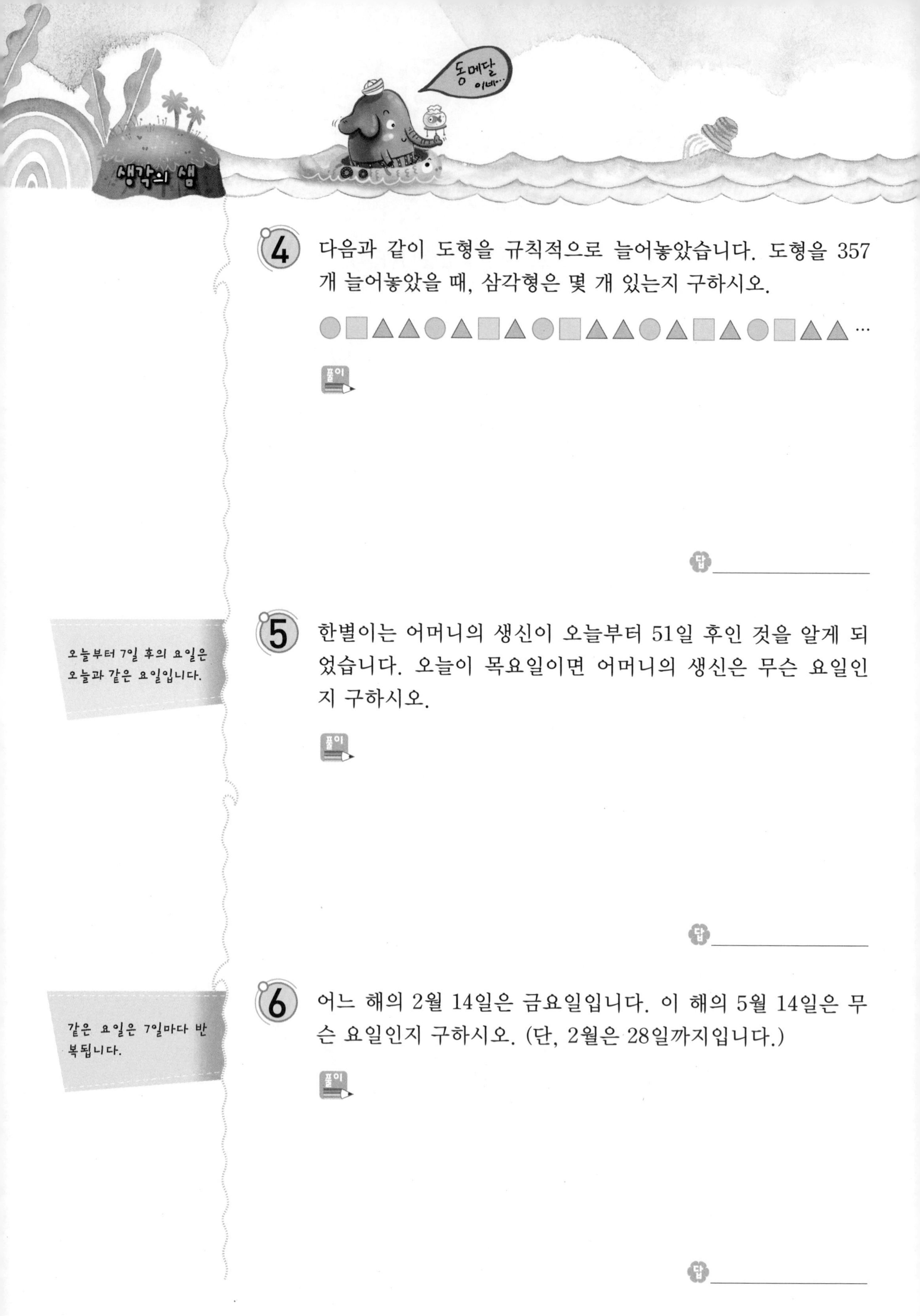

4

다음과 같이 도형을 규칙적으로 늘어놓았습니다. 도형을 357개 늘어놓았을 때, 삼각형은 몇 개 있는지 구하시오.

●■▲▲●▲■▲●■▲▲●▲■▲●■▲▲ …

풀이

답 ____________

5

오늘부터 7일 후의 요일은 오늘과 같은 요일입니다.

한별이는 어머니의 생신이 오늘부터 51일 후인 것을 알게 되었습니다. 오늘이 목요일이면 어머니의 생신은 무슨 요일인지 구하시오.

풀이

답 ____________

6

같은 요일은 7일마다 반복됩니다.

어느 해의 2월 14일은 금요일입니다. 이 해의 5월 14일은 무슨 요일인지 구하시오. (단, 2월은 28일까지입니다.)

풀이

답 ____________

은메달 따기

생각의 샘

1 다음과 같이 도형을 규칙적으로 늘어놓았습니다. 827개를 늘어놓았을 때, ★과 ●의 개수의 차를 구하시오.

★■★●★★●★■★●★★●★■★● …

풀이

답 ________________

2 다음과 같이 수를 규칙적으로 늘어놓았습니다. 처음부터 150째 번 수까지의 합은 얼마인지 구하시오.

> 먼저 반복되는 부분 안에 들어 있는 수들의 합을 구해 봅니다.

1, 3, 2, 4, 3, 3, 3, 1, 3, 2, 4, 3, 3, 3, 1, 3, 2, 4, …

풀이

답 ________________

3 $6 \div 7$을 소수로 나타내려고 합니다. 소수점 아래 176째 자리의 숫자는 무엇인지 구하시오.

> 반복되는 부분이 나올 때까지 계속하여 나눗셈을 해 봅니다.

풀이

답 ________________

2월이 29일까지 있으므로 1년 동안의 날수는 366일입니다.

4 올해 동민이의 생일이 7월 28일 화요일이라고 할 때, 동민이의 생일부터 400일 후는 몇 월 며칠 무슨 요일인지 구하시오. (단, 다음 해의 2월은 29일까지입니다.)

답 ______________

5 어느 해 10월 9일이 수요일이었다면, 그 다음 해 5월 19일은 무슨 요일이 되는지 구하시오. (단, 다음 해의 2월은 28일까지입니다.)

답 ______________

2009년 7월 30일은 2007년 5월 8일부터 며칠 후인지 구해 봅니다.

6 2007년 5월 8일은 화요일입니다. 2009년 7월 30일은 무슨 요일인지 구하시오. (단, 2008년은 윤년입니다.)

답 ______________

다음과 같이 동전을 규칙적으로 늘어놓았습니다. 물음에 답하시오. (1～2)

1 120째 번 동전까지의 금액의 합은 얼마인지 구하시오.

> 먼저 반복되는 부분 안의 금액의 합을 구해 봅니다.

답 ______________

2 금액의 합이 32880원이 되는 것은 처음부터 몇째 번 동전까지의 합인지 구하시오.

> 전체 금액을 한 묶음 안에 있는 동전들의 금액의 합으로 나누어 봅니다.

답 ______________

3 어느 해에 월요일이 53번 있었다고 합니다. 그 다음 해의 마지막 날은 무슨 요일이 되는지 구하시오. (단, 1년은 365일로 계산합니다.)

풀이

> 1년 동안 같은 요일은 52번 또는 53번 나오게 됩니다.

답 ______________

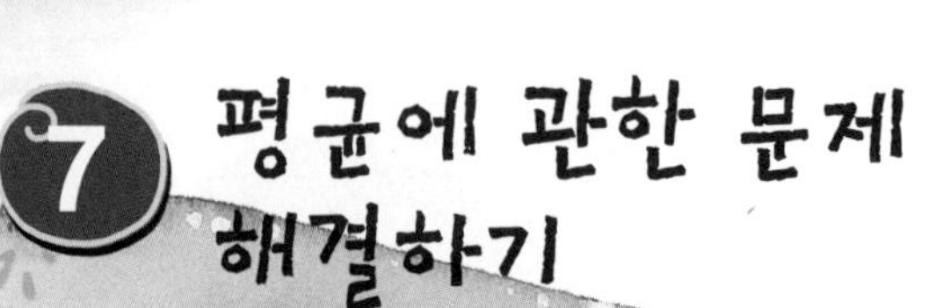

7 평균에 관한 문제 해결하기

탐구 문제

다음은 한초네 모둠 학생들의 키를 조사하여 나타낸 표입니다. 4사람의 평균 키는 몇 cm인지 구하시오.

한초네 모둠 학생들의 키

이름	한초	상연	용희	가영
키(cm)	146.5	133	152.5	144

풀이1 한초네 모둠 학생들의 키를 더하면 146.5+133+152.5+144 =576(cm)이므로, 4사람의 평균 키는 576÷4=144(cm)입니다.

풀이2 가영이의 키를 4사람의 평균 키로 생각하면, 한초는 가영이보다 2.5cm 더 크고, 상연이는 가영이 보다 11cm 더 작고, 용희는 가영이보다 8.5cm 더 큽니다.

(평균) =(전체를 더한 합계) ÷(개수)

따라서, 한초와 용희에게서 2.5+8.5=11(cm)를 빼내어 상연이에게 더해준다면 4사람 모두 144cm가 됨을 알 수 있습니다.

한초	상연	용희	가영
146.5−2.5(cm) ↓ 144cm	133+11(cm) ↓ 144cm	152.5−8.5(cm) ↓ 144cm	144cm ↓ 144cm

Check Point

전체 모둠 학생들의 키의 합을 모둠 학생 수로 나눈 것과 같이, 전체를 더한 합계를 개수로 나눈 것을 평균이라고 합니다.

확인 문제

신영이가 3회까지 본 수학 시험의 평균은 82점입니다. 4회째에 90점을 받는다면, 4회까지의 수학 시험의 평균 점수를 구하시오.

1 신영이가 3회까지 본 수학 시험의 총점은 몇 점인지 구하시오.

( )

2 신영이가 4회까지 본 수학 시험의 총점은 몇 점인지 구하시오.

( )

3 4회까지의 수학 시험의 평균 점수를 구하시오.

( )

3회까지의 총점은 3회까지의 평균에 3을 곱하면 되겠지요?

1 한별이와 웅이가 게임을 하고 받은 점수를 나타낸 표입니다. 누구의 평균 점수가 몇 점 더 높은지 구하시오.

(평균 점수)
=(4회까지의 총점)÷4

게임 점수

횟수(회)	1	2	3	4
한별이의 점수(점)	215	259	300	246
웅이의 점수(점)	300	203	265	228

풀이

답 ______________

2 석기네 과수원에서는 사과나무 120그루에서 23400개의 사과를 수확했고, 영수네 과수원에서는 사과나무 80그루에서 18880개의 사과를 수확했습니다. 한 그루당 수확한 평균 사과 수는 누구네 과수원이 몇 개 더 많은지 구하시오.

석기와 영수네 과수원에서 각각 수확한 사과 수를 사과나무 수로 나누어 한 그루당 수확한 사과 수를 구합니다.

풀이

답 ______________

3 어느 식물원의 일 주일 동안 입장객 수를 조사하여 나타낸 표입니다. 수요일의 입장객 수는 몇 명인지 구하시오.

(일 주일 동안 식물원의 총 입장객 수)
=(하루 평균 입장객 수)×7

식물원의 입장객 수

요일	일	월	화	수	목	금	토	평균
입장객 수(명)	75	32	40		45	50	68	49

풀이

답 ______________

동민이네 모둠 학생들의 기록의 합을 5명으로 나누어서 평균 기록을 구합니다.

4 동민이네 모둠 학생들의 200m 달리기 기록입니다. 한 학생당 평균 몇 초씩 걸린 셈인지 구하시오.

200m 달리기 기록

이름	한별	가영	예슬	율기	동민
기록(초)	27.5	30.2	29.4	32.8	28.6

답 ____________

시간 단위를 분 단위로 고쳐서 생각합니다.

5 예슬이는 5일 동안 9시간 15분을 공부하였고, 이 후 8일 동안은 13시간 30분을 공부하였습니다. 예슬이는 하루 평균 몇 시간 몇 분씩 공부한 셈인지 구하시오.

답 ____________

그림그래프에서 월별 판매량을 먼저 알아봅니다.

6 다음은 어느 휴대폰 대리점의 월별 휴대폰 판매량을 그림그래프로 나타낸 것입니다. 한달 평균 휴대폰 판매량은 몇 대인지 구하시오.

월별 휴대폰 판매량

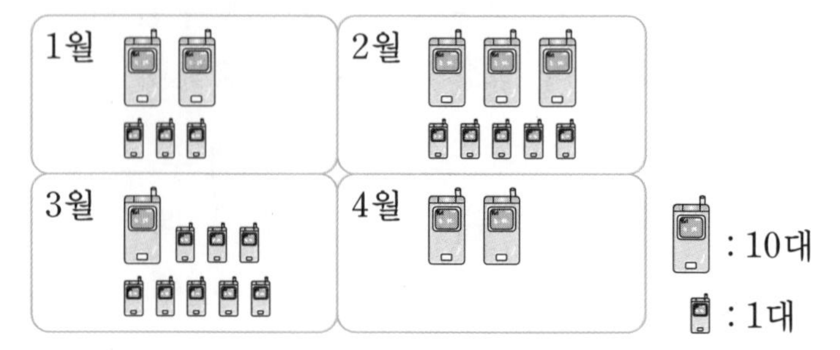

답 ____________

은메달 따기

1 율기의 국어, 사회, 과학 세 과목의 평균 점수는 80점입니다. 수학 시험에서 몇 점을 받아야 네 과목의 평균 점수가 84점이 되는지 구하시오.

> 네 과목의 총점에서 세 과목의 총점을 빼어 수학 점수를 구합니다.

풀이

답 ________________

2 한별이네 모둠과 용희네 모둠 학생들의 승부차기 성공 횟수의 평균을 나타낸 표입니다. 두 모둠의 성공 횟수의 평균을 구하시오.

> (한별이네 모둠 학생들의 승부차기 성공 총 횟수)
> =(한별이네 모둠 학생들의 승부차기 평균 성공 횟수)×5

승부차기 성공 횟수

한별이네 모둠(5명)	용희네 모둠(8명)
4.8회	3.5회

풀이

답 ________________

3 규형이네 반 남녀 학생들의 윗몸일으키기 횟수를 조사하여 나타낸 줄기와 잎 그림입니다. 줄기가 3인 학생들의 경우, 여학생과 남학생의 평균 윗몸일으키기 횟수의 차를 구하시오.

> 줄기가 1, 2, 3, 4인 줄기와 잎 그림입니다.

윗몸일으키기한 횟수 (단위 : 회)

남		여
2 7	1	2 3 5 8
1 5 6 0	2	4 7 9 7 5
2 0 0 7 2 4 6	3	0 6 6 8
3 7 6	4	6 9

풀이

답 ________________

빈자리 3개에 앉을 수 있는 총시간은 30×3=90(분)입니다.

4 웅이와 친구 5명이 버스를 탔는데, 빈 자리가 3개 있어 교대로 앉기로 했습니다. 버스를 타고 가는 시간이 30분이라면, 한 사람이 평균 몇 분씩 앉을 수 있는지 구하시오.

풀이

답 ________

가, 나, 다, 라 동의 평균 주민 수를 이용하여 총 주민 수를 구한 후 나와 다 동의 주민 수의 합을 구합니다.

5 가, 나, 다, 라 동의 평균 주민 수는 120명이고, 나 동의 주민 수는 다 동의 주민 수보다 30명이 더 많다고 합니다. 나 동의 주민 수를 구하시오.

풀이

답 ________

(배 한 상자의 무게) =(배만의 무게)+(빈 상자만의 무게)

6 배가 8개씩 들어 있는 상자가 10상자 있습니다. 10상자 전체의 무게는 60kg이고 빈 상자 한 개만의 무게가 0.4kg이라면, 배 한 개의 평균 무게는 몇 g인지 구하시오.

풀이

답 ________

1

다음 분수들의 평균이 $\frac{3}{8}$일 때, □ 안에 알맞은 분수를 구하시오.

$\frac{1}{4}$ $\frac{1}{2}$ $\frac{1}{8}$ □

답 ________

(네 분수의 총합)
=(네 분수의 평균)×4

2

연속된 자연수 5개의 합이 90입니다. 이 중에서 가장 큰 자연수를 구하시오.

답 ________

연속된 세 수에서 가운데 있는 수가 평균이 됩니다.

3

5회에 걸친 지혜의 수학 성적입니다. 각 시험은 한 문제당 5점씩 20문제였습니다. 5회까지의 평균이 86점을 넘으려면 5회 시험에서 적어도 몇 문제를 맞혀야 하는지 구하시오.

수학 성적

횟수(회)	1	2	3	4	5
점수(점)	85	75	90	95	

답 ________

5회까지의 총점에서 4회까지의 총점을 빼어 5회의 점수를 알아봅니다.

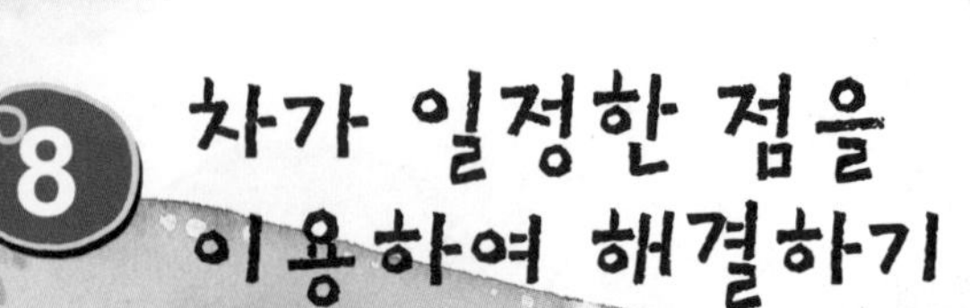

8 차가 일정한 점을 이용하여 해결하기

탐구 문제

한별이의 나이는 12살이고, 어머니의 연세는 48세입니다. 어머니의 연세가 한별이의 나이의 3배가 되는 것은 지금부터 몇 년 후인지 구하시오.

풀이 어머니와 한별이의 나이의 차는 $48-12=36$(살)이고 이 차이는 세월이 흘러도 변함이 없습니다. 따라서, 몇 년 후의 나이를 그림으로 나타내면 다음과 같습니다.

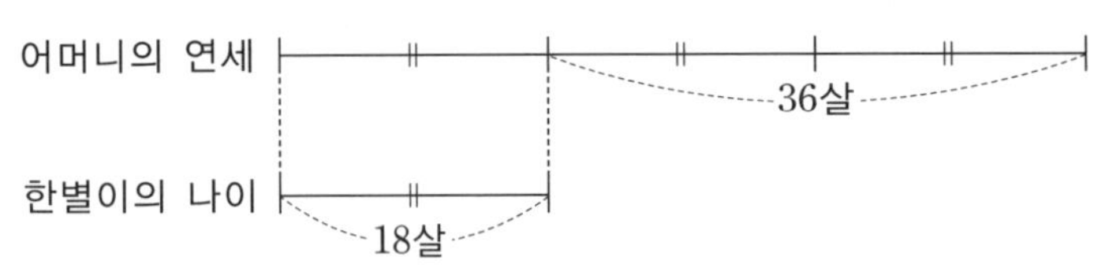

어머니와 한별이의 나이의 차는 시간이 지나도 항상 같습니다.

위의 그림에서 몇 년 후의 한별이의 나이는 $36\div(3-1)=18$(살)이 됩니다. 따라서, 3배가 되는 것은 $18-12=6$(년) 후입니다.

Check Point

나이의 차가 항상 일정하다는 것을 생각하여 문제를 해결합니다.

확인 문제

석기의 나이는 올해 10살이고 삼촌은 석기보다 28살 많습니다. 삼촌의 연세가 석기의 나이의 3배가 되는 것은 몇 년 후인지 구하시오.

올해 삼촌과 석기의 나이 차를 이용해서 그림을 그려보면 되겠죠?

1 몇 년 후의 삼촌과 석기의 나이를 그림으로 나타내었습니다. □ 안에 알맞은 수를 써 넣으시오.

삼촌의 연세 ├──┼──┼──┼──┼──┤ (□살)

석기의 나이 ├──┼──┤

2 몇 년 후의 석기의 나이를 식을 세워 구하시오.

(　　　　　　　　)

3 삼촌의 연세가 석기의 나이의 3배가 되는 것은 몇 년 후인지 구하시오.

(　　　　　　　　)

1 올해 아버지의 연세는 54세이고, 아들의 나이는 12살입니다. 아버지의 연세가 아들의 나이의 4배가 되는 것은 올해부터 몇 년 후인지 구하시오.

> 올해 아버지의 연세와 아들의 나이의 차는 (54－12)살이고, 몇 년 후에도 나이의 차는 변함이 없습니다.

풀이

답 ____________

2 올해 선생님의 연세는 38세이고, 가영이의 나이는 10살입니다. 선생님의 연세가 가영이의 나이의 3배가 되는 것은 올해부터 몇 년 후인지 구하시오.

> 올해 선생님의 연세와 가영이의 나이의 차는 (38－10)살이고, 몇 년 후에도 나이의 차는 변함이 없었습니다.

풀이

답 ____________

3 올해 할머니의 연세는 76세이고, 지혜의 나이는 12살입니다. 할머니의 연세가 지혜의 나이의 9배가 되었던 것은 올해부터 몇 년 전인지 구하시오.

> 몇 년 전의 지혜의 나이는 할머니와 지혜의 나이의 차를 (9－1)로 나눈 것과 같습니다.

풀이

답 ____________

몇 년 전의 형과 효근이의 나이의 차는 (18－12)살과 같습니다.

4 올해 형과 효근이의 나이는 각각 18살, 12살입니다. 형의 나이가 효근이의 나이의 2배가 되었던 때는 지금부터 몇 년 전인지 구하시오.

풀이

답

몇 달 전에도 두 사람의 색연필의 차는 변함이 없습니다.

5 지금 색연필을 동민이는 42자루, 영수는 12자루를 갖고 있습니다. 두 사람이 색연필을 한 달에 한 자루씩 써 왔다면, 동민이의 색연필의 개수가 영수의 색연필의 개수의 3배가 되었던 것은 몇 달 전인지 구하시오.

풀이

답

남는 문제집의 장수의 차도 처음의 차와 같습니다.

6 상연이와 용희는 내일부터 각자 새로 산 수학문제집을 매일 1장씩 풀려고 합니다. 상연이의 문제집은 56장이고 용희의 문제집은 48장일 때, 상연이의 남는 문제집의 장수가 용희의 남는 문제집의 장수의 2배가 되는 것은 오늘부터 며칠 후인지 구하시오.

풀이

답

생각의 샘

1 상연이는 20000원, 한솔이는 30000원을 갖고 있습니다. 두 사람이 매주 3000원씩 사용하기로 하였다면 한솔이의 남은 돈이 상연이의 남은 돈의 3배가 되는 것은 몇 주 동안 사용했을 때인지 구하시오.

두 사람의 돈의 차이는 변함이 없습니다.

풀이

답 ________________

2 올해 할아버지와 손자의 나이의 차는 50살이고, 할아버지의 연세는 손자의 나이의 3.5배입니다. 올해 할아버지의 연세를 구하시오.

손자의 나이를 1로 놓으면 할아버지의 연세는 3.5입니다.

풀이

답 ________________

3 올해 용희와 동생의 나이의 합은 24살이고, 나이의 차는 16살입니다. 용희의 나이가 동생의 나이의 3배가 되는 것은 몇 년 후인지 구하시오.

먼저 올해 용희와 동생의 나이를 구합니다.

풀이

답 ________________

4 올해 고모의 연세와 웅이의 나이의 합은 40살이고, 나이의 차는 20살입니다. 고모의 연세가 웅이의 나이의 5배였던 것은 몇 년 전인지 구하시오.

풀이

답 ________________

올해 삼촌의 연세는 (아버지와 삼촌의 나이의 차)÷(1.3−1)살입니다.

5 올해 아버지와 삼촌의 연세의 차는 12살이고, 아버지의 연세는 삼촌의 연세의 1.3배입니다. 올해 아버지와 삼촌의 연세의 합을 구하시오.

답 ________________

두 손녀의 나이의 합은 매년 2살씩 많아집니다.

6 올해 할아버지의 연세는 56세이고, 두 손녀의 나이는 각각 8살, 6살입니다. 두 손녀의 나이의 합이 할아버지의 연세와 같아지는 것은 몇 년 후인지 구하시오.

답 ________________

1 올해 아버지의 연세는 47세이고, 형과 나의 나이의 합은 25살입니다. 아버지의 연세가 형과 나의 나이의 합과 같아지는 해의 형과 나의 나이의 합을 구하시오.

풀이

답 ____________

형과 나의 나이의 합은 매년 2살씩, 아버지는 1살씩 많아집니다.

2 올해 어머니의 연세는 40세이고, 나와 동생의 나이의 합은 21살입니다. 동생이 나보다 3살 어릴 때 어머니의 연세가 나와 동생의 나이의 합과 같아지는 해의 동생의 나이를 구하시오.

풀이

답 ____________

어머니의 연세가 나와 동생의 나이의 합과 같아지는 것이 몇 년 뒤인지 먼저 알아봅니다.

3 올해 할머니의 연세는 70세이고, 예슬이와 한초의 나이는 각각 10살입니다. 할머니의 연세가 예슬이와 한초의 나이의 합의 2배가 되는 것은 올해부터 몇 년 후인지 구하시오.

풀이

답 ____________

□년 후에 할머니의 연세는 (70+□)세이고, 예슬이와 한초의 나이의 합은 {(10+□)+(10+□)}살입니다.

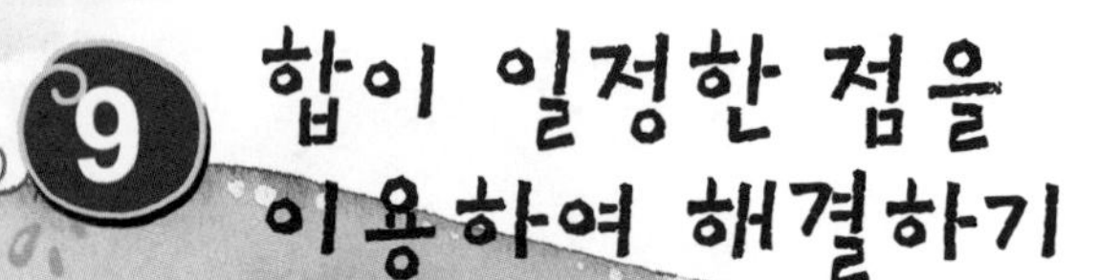

9 합이 일정한 점을 이용하여 해결하기

석기는 3000원, 가영이는 9000원을 가지고 있습니다. 석기가 가영이에게 얼마를 주고 나니 가영이의 돈이 석기의 돈의 5배가 되었습니다. 석기가 가영이에게 준 금액을 구하시오.

풀이 석기가 가영이에게 돈을 주고 난 뒤 두 사람이 가지고 있는 돈을 그림으로 나타내면 다음과 같습니다.

석기가 가지고 있는 돈 ①
가영이가 가지고 있는 돈 ⑤
12000원 (합)

위의 그림에서 석기가 가지고 있는 돈은
$12000\div(5+1)=12000\div6=2000$(원)입니다.
따라서, 석기는 가영이에게 $3000-2000=1000$(원)을 주었습니다.

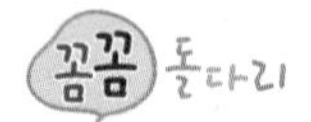

두 사람이 돈을 주고 받아도 두 사람이 가지고 있는 돈의 합은 변하지 않습니다.

Check Point

두 수의 합이 항상 일정하다는 것을 생각하여 문제를 해결합니다.

확인 문제

기름탱크 가와 나에 각각 1250L, 1040L의 기름이 들어 있었습니다. 가에서 나로 10분 동안 기름을 옮겨 넣었더니 두 기름탱크의 기름의 양이 같아졌습니다. 매분 몇 L씩 옮겨 넣은 셈인지 구하시오.

1 두 기름탱크의 기름의 양은 몇 L로 같아졌습니까?

( )

2 기름탱크 가에서 나로 옮긴 기름은 몇 L입니까?

( )

3 기름탱크 가에서 나로 매분 몇 L씩 옮겨 넣은 셈인지 식을 세워 구하시오.

( )

두 기름탱크에 들어 있는 기름의 양을 반씩 나누어 넣어야 같아지겠죠?

1 감자가 상자 가에는 26개, 상자 나에는 34개 들어 있었습니다. 상자 나에서 가로 감자를 한 번에 2개씩 옮겨 넣었더니 두 상자에 들어 있는 감자의 개수가 같아졌습니다. 감자를 몇 번 옮겨 넣은 것인지 구하시오.

두 상자에 들어 있는 감자의 개수는 모두 (26 + 34)개입니다.

2 물탱크 가에는 1500L, 나에는 1800L의 물이 들어 있었습니다. 나에서 가로 매분 2.5L씩 몇 분 동안 물을 옮겨 넣었더니 두 물탱크의 물의 양이 같아졌습니다. 몇 분 만에 물탱크의 물의 양이 같아졌는지 구하시오.

두 물탱크의 물의 양의 합은 변함이 없습니다.

3 물통 가와 나에 각각 10.4L, 16.8L의 약수가 들어 있었습니다. 물통 나에서 가로 매초 100mL씩 몇 초 동안 약수를 옮겨 넣었더니 두 물통의 약수의 양이 같아졌습니다. 몇 초 만에 두 물통의 약수의 양이 같아졌는지 구하시오.

규형이가 상연이에게 몇 개의 구슬을 주어도 두 사람이 가지고 있는 구슬의 수의 합은 변하지 않습니다.

4 구슬을 상연이는 52개, 규형이는 32개를 갖고 있었습니다. 규형이가 상연이에게 구슬 몇 개를 주었더니 상연이의 구슬 수가 규형이의 구슬 수의 2배가 되었습니다. 규형이가 상연이에게 몇 개의 구슬을 준 것인지 구하시오.

답 ____________

5 영수는 2400원, 웅이는 4200원을 갖고 있었습니다. 영수가 웅이에게 얼마를 주고 나니 웅이의 돈이 영수의 돈의 4배가 되었습니다. 영수가 웅이에게 준 금액을 구하시오.

답 ____________

지혜가 율기에게 준 뒤 남은 색 테이프의 길이를 ①로 놓으면 율기의 색 테이프 길이는 ③이 됩니다.

6 율기와 지혜는 길이가 각각 17.4m, 12.8m인 색 테이프를 갖고 있었습니다. 지혜가 율기에게 색 테이프를 몇 m 주고 나니 율기의 색 테이프의 길이가 지혜의 색 테이프의 길이의 3배가 되었습니다. 지혜가 율기에게 색 테이프를 몇 m 주었는지 구하시오.

답 ____________

은메달 따기

생각의 샘

1 한초와 영수는 같은 금액을 내어 사탕 몇 개를 샀습니다. 사탕을 나누어 가질 때, 한초가 영수보다 6개를 더 많이 가졌기 때문에 한초는 영수에게 300원을 주었습니다. 사탕 한 개의 값을 구하시오.

> 한초가 가진 사탕은 본래 가져야 할 사탕보다 몇 개를 더 가진 것인지 알아봅니다.

풀이

답 ____________

2 예슬이와 한별이는 같은 금액을 내어 연필 30자루를 샀습니다. 예슬이는 한별이보다 8자루를 더 갖기로 하고 대신에 한별이에게 600원을 주었습니다. 예슬이와 한별이가 처음에 각각 얼마씩 내었는지 구하시오.

> 두 사람이 같은 금액을 내었으므로 본래 연필을 $(30 \div 2)$자루씩 가져야 합니다.

풀이

답 ____________

3 용희와 석기는 같은 금액을 내어 색종이 100장을 샀습니다. 석기는 용희보다 10장을 더 갖기로 하고 대신에 용희에게 150원을 주었습니다. 석기가 색종이 값으로 낸 돈은 모두 얼마인지 구하시오.

> 석기가 본래 가져야 할 색종이보다 $\{10-(10 \div 2)\}$장을 더 갖기로 해서 용희에게 150원을 준 것입니다.

풀이

답 ____________

카드 한 장의 가격은 두 사람이 낸 돈의 합을 산 카드의 장수로 나누면 됩니다.

4 지혜와 한솔이는 각각 1500원씩 내서 카드를 20장 산 후 지혜가 한솔이보다 4장을 더 많이 가졌습니다. 각자 가진 카드의 개수만큼 돈을 내려면 지혜는 한솔이에게 얼마를 주면 되는지 구하시오.

풀이

답

5 율기와 가영이는 각각 950원씩 내서 구슬을 38개 산 후 가영이가 율기보다 6개를 더 많이 가졌습니다. 각자 가진 구슬의 개수만큼 돈을 내려면 가영이는 율기에게 얼마를 주면 되는지 구하시오.

답

처음에 리본을 효근이가 용희보다 (8.4×2)cm 더 많이 가지고 있었습니다.

6 효근이와 용희가 가지고 있는 리본의 길이를 합하면 52cm입니다. 효근이가 용희에게 8.4cm를 주어 두 사람이 가진 리본의 길이가 같아졌다면 처음에 효근이와 용희가 가지고 있던 리본의 길이를 각각 구하시오.

답

1 가영이는 바둑돌을 120개, 한초는 바둑돌을 76개 갖고 있었습니다. 가영이가 한초에게 바둑돌을 몇 개 주고 나니 가영이는 한초보다 바둑돌이 10개 더 많았습니다. 가영이가 한초에게 바둑돌을 몇 개 주었는지 구하시오.

> 먼저 두 사람이 갖고 있는 바둑돌의 개수의 합을 구한 후 문제를 해결합니다.

풀이

답 ____________

2 율기와 영수는 각각 3800원, 2600원을 갖고 있었습니다. 율기가 영수에게 얼마를 주고 나니 오히려 영수가 율기보다 500원이 더 많아졌습니다. 율기는 영수에게 얼마를 준 것인지 구하시오.

> 율기가 영수에게 돈을 주고 난 다음 율기에게 남은 돈은 {(두 사람이 가지고 있던 돈)−(영수가 율기보다 더 많이 가지고 있는 돈)}÷2로 나타낼 수 있습니다.

풀이

답 ____________

3 ㉮, ㉯, ㉰ 세 개의 컵에 물이 담겨 있습니다. 세 컵의 물을 합하면 1.8L입니다. ㉰ 컵에서 ㉯ 컵으로 0.3L, ㉮ 컵으로 0.2L의 물을 옮기면 세 컵의 물의 양은 같아진다고 합니다. 각각의 컵에 들어 있던 물의 양을 구하시오.

> 먼저 세 개의 컵의 같아진 물의 양을 구합니다.

풀이

답 ____________

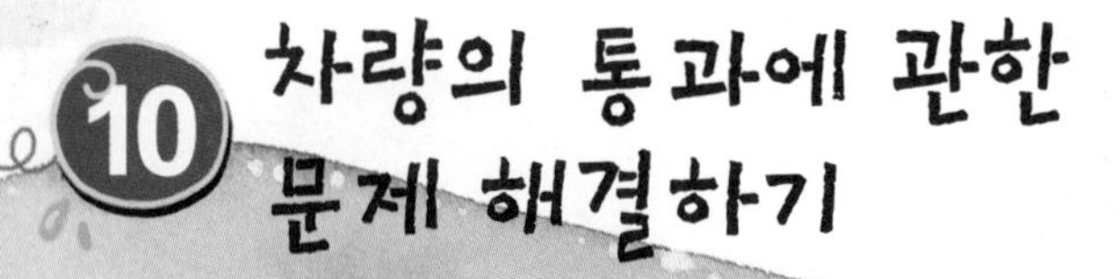

10 차량의 통과에 관한 문제 해결하기

탐구 문제

지혜는 여행을 가려고 기차를 탔습니다. 이 기차의 길이는 100m이고, 1초에 20m씩 달리고 있습니다. 역을 출발하여 얼마 후에 길이 400m의 철교를 건넜다면 이 철교를 완전히 건너는 데는 몇 초가 걸렸는지 구하시오.

풀이 그림을 그려 살펴봅니다.

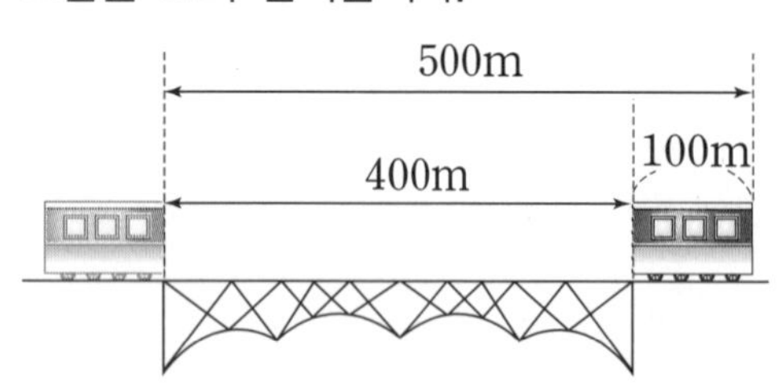

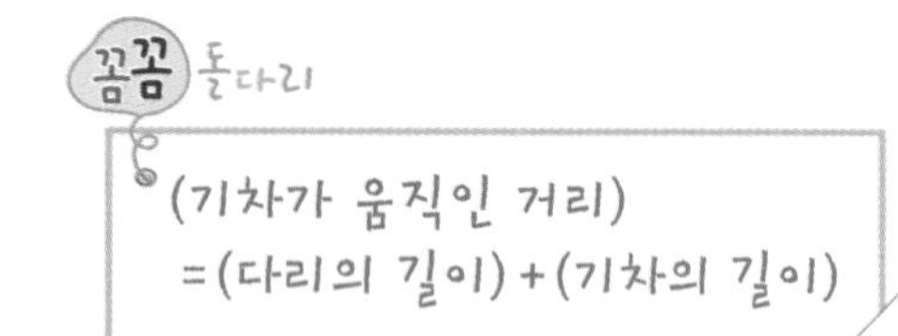

기차가 철교의 진입 부분에 들어서서 철교를 완전히 빠져 나갈 때까지 움직인 거리는 $100+400=500$(m)입니다.

따라서, 기차가 철교를 완전히 건너는 데 걸린 시간은 $500\div20=25$(초)입니다.

Check Point

- 기차가 철교를 완전히 건너는 데 걸린 시간 :
  (걸린 시간)=(철교 길이+기차 길이)÷(기차의 빠르기)
- 기차가 어느 지점을 지나는 데 걸린 시간 : (걸린 시간)=(기차 길이)÷(기차의 빠르기)

확인 문제

규형이가 탄 기차의 길이는 140m이고, 1초에 30m씩 달리고 있습니다. 역을 출발하여 얼마 후에 길이 400m의 철교를 건넜다면 이 철교를 완전히 건너는 데는 몇 초가 걸렸는지 구하시오.

1 철교의 길이는 몇 m입니까?

( )

2 기차가 철교의 진입 부분에 들어서서 완전히 건널 때까지 몇 m를 움직여야 하는지 구하시오.

( )

3 기차가 철교를 완전히 건너는 데 몇 초가 걸렸는지 구하시오.

( )

기차가 움직인 거리는 철교의 길이와 기차의 길이의 합으로 나타냅니다.

생각의 샘

1 길이가 7m인 버스가 있습니다. 이 버스는 1초에 14m의 빠르기로 도로를 달리고 있습니다. 얼마 후에 어떤 터널을 완전히 통과하는 데 46초가 걸렸다면 이 터널의 길이는 몇 m인지 구하시오.

(버스가 움직인 거리)
=(버스의 빠르기)
×(버스가 다리를 통과하는데 걸린 시간)
(터널의 길이)
=(버스가 움직인 거리)
−(버스의 길이)

풀이

답 ____________

2 마라톤 선수가 1초에 4m의 빠르기로 달리고 있습니다. 이 마라톤 선수가 어떤 다리를 완전히 건너는 데 2분 30초가 걸렸다면 이 다리의 길이는 몇 m인지 구하시오.

(다리의 길이)
=(마라톤 선수가 달린 거리)

풀이

답 ____________

3 1초에 18m의 빠르기로 달리는 열차가 90초 만에 철교를 완전히 통과했습니다. 이 열차의 길이가 100m이면 철교의 길이는 몇 m인지 구하시오.

(철교의 길이)
=(열차가 움직인 거리)
−(열차의 길이)

풀이

답 ____________

(열차의 길이)
=(열차가 움직인 거리)
-(다리의 길이)

4 어떤 열차가 매초 20m의 빠르기로 800m 길이의 다리를 완전히 통과하는 데 48초가 걸렸습니다. 이 열차의 길이는 몇 m인지 구하시오.

답 ____________

(고속열차의 길이)
=(20초 동안 달린 거리)
-(터널의 길이)

5 10분에 36km의 빠르기로 달리는 고속열차가 있습니다. 1050m 길이의 터널을 완전히 통과하는 데 20초가 걸렸습니다. 이 고속열차의 길이는 몇 m인지 구하시오.

답 ____________

(철교의 길이)
=(열차가 움직인 거리)
-(열차의 길이)

6 1분에 1200m의 빠르기로 달리는 열차가 30초만에 철교를 완전히 통과하였습니다. 이 열차의 길이가 150m이면, 철교의 길이는 열차 길이의 몇 배인지 구하시오.

답 ____________

생각의 샘

1 길이가 100m인 열차가 매초 20m의 빠르기로 어떤 터널을 완전히 통과하는 데 40초가 걸렸습니다. 길이가 180m인 다른 열차가 매초 22m의 빠르기로 이 터널을 완전히 통과하려면 몇 초가 걸리는지 구하시오.

> (걸리는 시간)
> ={(터널의 길이)
> +(열차의 길이)}
> ÷(열차의 빠르기)

풀이

답 ______________

2 어떤 열차가 1초에 14m의 빠르기로 906m 길이의 철교를 건너는 데 1분 14초가 걸렸습니다. 이 열차가 1초에 30m의 빠르기로 1040m 길이의 터널을 완전히 통과하는 데는 몇 초가 걸리는지 구하시오.

> 먼저 열차의 길이가 몇 m인지 알아봅니다.
> (열차의 길이)
> =(열차가 움직인 거리)
> −(철교의 길이)

풀이

답 ______________

3 율기는 가로의 폭이 21m인 건널목에 서서 기차가 지나가기를 기다리고 있습니다. 1초에 27m의 빠르기로 달려오던 기차가 건널목 앞에서 속도를 줄여서 1초에 9m의 빠르기로 지나가고 있습니다. 이 기차가 건널목을 완전히 통과하는 데 속도를 줄이지 않고 달렸을 때와 속도를 줄여서 달렸을 때에 걸리는 시간의 차는 몇 초인지 구하시오. (단, 열차의 길이는 60m입니다.)

> 기차가 건널목을 완전히 빠져 나갈 때까지 움직인 거리는 속도에 상관 없이 항상 같습니다.

풀이

답 ______________

(걸리는 시간)
={(터널의 길이)
+(버스의 길이)}
÷(버스의 빠르기)

4 어떤 버스가 매분 1.2km의 빠르기로 1350m 길이의 다리를 건너는 데 1분 8초가 걸렸습니다. 이 버스가 매초 30m의 빠르기로 1100m 길이의 터널을 완전히 통과하는 데에는 몇 초가 걸리는지 구하시오.

답 ____________

(걸리는 시간)
={(터미널의 길이)
+(열차의 길이)}
÷(열차의 빠르기)

5 어떤 열차가 매초 22m의 빠르기로 길이가 1400m인 철교를 건너는 데 1분 10초가 걸렸습니다. 이 열차가 매초 16m의 빠르기로 1300m인 터널을 완전히 통과하는 데는 몇 분 몇 초가 걸리는지 구하시오.

답 ____________

(열차의 빠르기)
={(철교의 길이)
+(열차의 길이)}
÷(걸린 시간)

6 어떤 열차가 매초 17m의 빠르기로 길이가 1600m인 철교를 건너는 데 1분 40초가 걸렸습니다. 이 열차가 길이가 1790m인 터널을 통과하는 데 1분 10초가 걸렸다면 열차는 매초 몇 m씩 달린 셈인지 구하시오.

답 ____________

1 길이가 110m인 A 열차는 1초에 22m의 빠르기로 달리고, B 열차는 1초에 18m의 빠르기로 달립니다. 두 열차가 같은 방향으로 달릴 때 만나는 순간부터 떨어지는 순간까지 56초가 걸렸다면, B 열차의 길이는 몇 m인지 구하시오.

(B 열차의 길이)
=(A 열차가 따라잡은 거리)-(A 열차의 길이)

풀이

답 ________

2 길이 120m인 고속열차와 길이 90m인 보통열차가 서로 마주 향해 달릴 때, 만나는 순간부터 떨어지는 순간까지 3초가 걸렸습니다. 고속열차가 1초에 50m의 빠르기로 달린다면 보통열차는 1초에 몇 m의 빠르기로 달리는지 구하시오.

(보통열차의 빠르기)
=(두 열차의 빠르기의 합)-(고속 열차의 빠르기)

풀이

답 ________

3 길이 180m인 여객용 열차가 1초에 20m의 빠르기로 터널을 통과하는 데 35초가 걸렸습니다. 이 터널을 길이가 280m인 화물용 열차가 통과하는 데 1분 20초가 걸렸다면, 화물용 열차는 1시간에 몇 km의 빠르기로 달리는지 구하시오.

(화물용 열차의 빠르기)
={(터널의 길이)+(화물용 열차의 길이)}÷80

풀이

답 ________

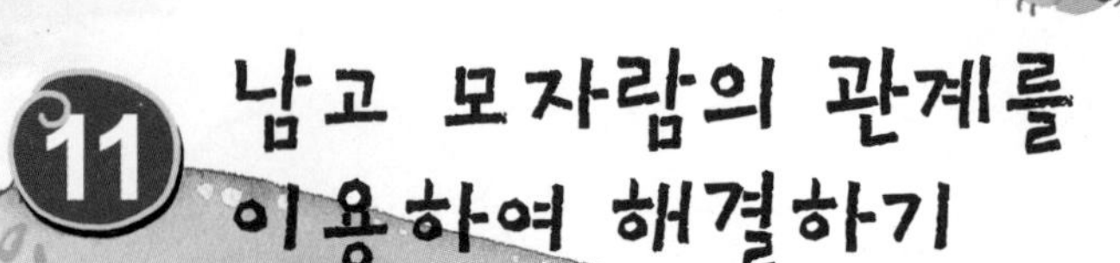

11 남고 모자람의 관계를 이용하여 해결하기

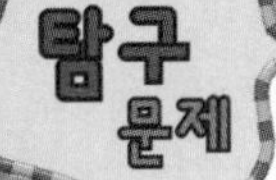

사탕을 몇 사람에게 나누어 주려고 합니다. 한 사람당 3개씩 나누어 주면 8개가 남고, 5개씩 나누어 주려면 10개가 부족하다고 합니다. 사람 수와 사탕 수를 각각 구하시오.

풀이 사람 수를 □명으로 하고, 3개씩 나누어 줄 때와 5개씩 나누어 줄 때에 필요한 사탕 수의 차이를 선분으로 나타내어 생각해 봅니다.

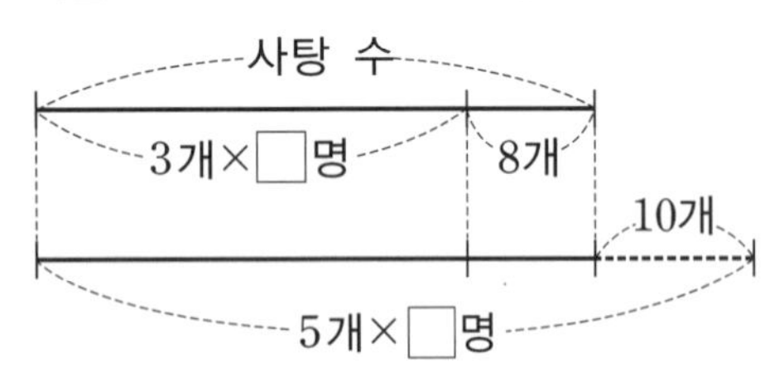

왼쪽 그림에서 볼 때, 사람들에게 3개씩 줄 때와 5개씩 줄 때의 사탕 수의 차는 $8+10=18$(개)이므로,
사람 수는 $18\div(5-3)=9$(명)이고,
사탕 수는 $3\times9+8=35$(개)입니다.

Check Point

- (남고 부족할 때의 차) ➡ (남음)+(부족)
- (양쪽 모두 남을 때의 차) ➡ (남음)−(남음)
- (양쪽 모두 부족할 때의 차) ➡ (부족)−(부족)

꼼꼼 돌다리

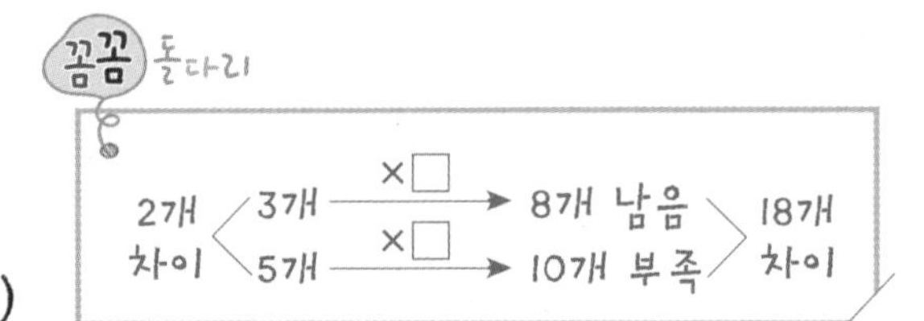

확인 문제

몇 자루의 연필을 학생들에게 나누어 주려고 합니다. 한 사람당 5자루씩 나누어 주면 6자루가 남고, 7자루씩 나누어 주려면 8자루가 부족하다고 합니다. 사람 수와 연필 수를 각각 구하시오.

1 사람 수를 ★로 하여 오른쪽 그림과 같이 선분으로 나타내려 합니다. □ 안에 알맞은 수를 써 넣으시오.

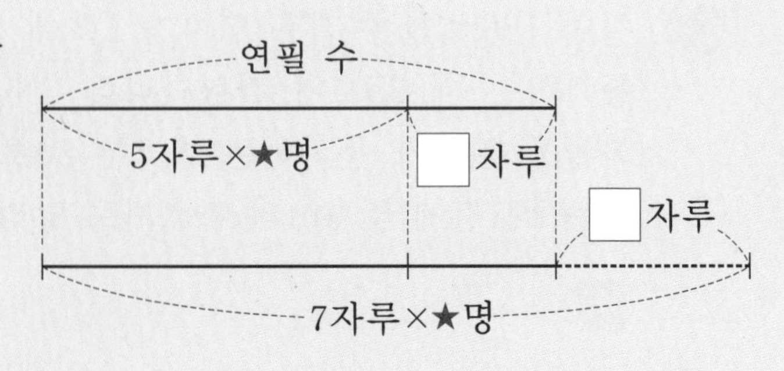

2 사람 수는 몇 명인지 구하시오.

( )

3 연필은 몇 자루인지 구하시오.

( )

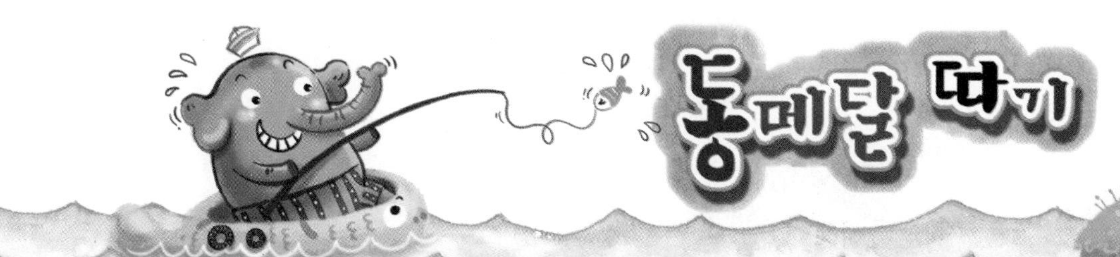

1 구슬을 몇 사람에게 나누어 주려고 합니다. 한 사람당 4개씩 나누어 주면 5개가 남고, 7개씩 나누어 주려면 10개가 부족하다고 합니다. 사람 수와 구슬 수를 각각 구하시오.

> (사람 수)
> ={(남음)+(부족)}÷(나누어 주려는 구슬 수의 차)
> (구슬 수)
> =(사람 수)×4+(남는 구슬 수)

풀이

답 ____________________

2 공책을 학생들에게 나누어 주려고 합니다. 한 사람당 3권씩 나누어 주면 7권이 남고, 5권씩 나누어 주려면 11권이 부족하다고 합니다. 사람 수와 공책 수를 각각 구하시오.

> (사람 수)
> ={(남음)+(부족)}÷(나누어 주려는 공책 수의 차)
> (공책 수)
> =(사람 수)×3+(남는공책 수)

풀이

답 ____________________

3 귤을 몇 사람에게 나누어 주려고 합니다. 한 사람당 16개씩 나누어 주려면 10개가 부족하고, 12개씩 나누어 주면 10개가 남는다고 합니다. 사람 수와 귤의 수를 각각 구하시오.

> (사람 수)
> ={(부족)+(남음)}÷(나누어 주려는 귤 수의 차)
> (귤의 수)
> =(사람 수)×16−(부족한 귤의 수)

풀이

답 ____________________

(사자 수)={(남음)+(부족)}÷(나누어 주는 고깃덩이의 차)
(고깃덩이 수)
=(사자 수)×13−(부족한 고깃덩이 수)

4 동물원에 있는 사자들에게 고기를 나누어 주려고 합니다. 한 마리당 13덩이씩 나누어 주려면 10덩이가 부족하고, 11덩이씩 나누어 주면 14덩이가 남는다고 합니다. 사자 수와 고깃덩이 수를 각각 구하시오.

답 ____________________

양쪽 모두 모자랄 때는 (부족)−(부족)으로 생각합니다.

5 영수는 딱지 몇 장을 친구들과 나누어 가지려고 합니다. 영수를 포함하여 한 사람당 7장씩 갖게 되면 딱지는 4장 모자라고, 10장씩 갖게 되면 딱지는 19장 모자라게 됩니다. 영수의 친구는 몇 명인지 구하시오.

답 ____________________

양쪽 모두 남을 때는 (남음)−(남음)으로 생각합니다.

6 지우개를 한 사람에게 4개씩 주면 20개가 남고, 9개씩 주면 10개가 남습니다. 지우개는 몇 개인지 구하시오.

답 ____________________

1 주머니에 들어 있는 구슬을 몇 개의 통에 나누어 담으려고 합니다. 한 통에 18개씩 넣으면 구슬은 6개 남고, 26개씩 넣으면 빈 통 1개만 남고 나머지 통에는 26개씩 채워집니다. 주머니 속의 구슬은 몇 개인지 구하시오.

빈 통이 하나 남는다는 것은 구슬 26개가 부족하다는 것과 같습니다.

풀이

답 ____________

2 몇 개의 배와 배를 넣을 수 있는 빈 상자가 있습니다. 한 상자에 배를 6개씩 넣으면 상자는 꼭 2상자가 부족하게 되고, 한 상자에 9개씩 넣으면 마지막 상자에는 6개 밖에 담을 수 없습니다. 배는 몇 개인지 구하시오.

한 상자에 9개씩 넣을 때, 마지막 상자에 6개 밖에 담을 수 없다는 뜻은 배 3개가 부족하다는 뜻과 같습니다.

풀이

답 ____________

3 긴 의자가 몇 개 있습니다. 이 의자에 어떤 학년 전체를 앉게 하려고 합니다. 의자 한 개에 5명씩 앉으면 의자가 꼭 2개가 부족하고, 10명씩 앉으면 의자는 꼭 8개가 남는다고 합니다. 의자 수와 학생 수를 각각 구하시오.

의자 수가 부족한 것은 학생 수가 남는 것으로, 의자가 남는 것은 학생 수가 부족한 것으로 생각합니다.

풀이

답 ____________

한 통에 사탕을 20개씩 넣을 때, 마지막 통에 5개의 사탕이 담긴다는 것은 마지막 통에 담긴 사탕이 15개 부족하다는 것과 같습니다.

4 주머니에 들어 있는 사탕을 몇 개의 통에 나누어 담으려고 합니다. 한 통에 15개씩 담으면 사탕은 10개 남고, 20개씩 담으면 빈 통이 하나 남고 마지막 통에는 5개의 사탕이 담깁니다. 주머니 속의 사탕은 몇 개인지 구하시오.

답 ____________

양쪽 모두 남을 때는 (남음)-(남음)으로 생각합니다.

5 상자에 공책이 몇 권 들어 있습니다. 이것을 학생 몇 명에게 나누어 주려고 합니다. 한 사람당 5권씩 주면 44권이 남고, 2권씩 더 주면 18권 남게 됩니다. 공책은 몇 권인지 구하시오.

답 ____________

양쪽 모두 모자랄 때는 (부족)-(부족)으로 생각합니다.

6 효근이와 용희는 초콜릿 몇 개를 친구들과 나누어 가지려고 합니다. 효근와 용희를 포함하여 한 사람이 6개씩 갖게 되면 초콜릿은 6개 모자라고, 10개씩 갖게 되면 30개가 모자라게 됩니다. 효근이와 용희의 친구는 몇 명인지 구하시오.

답 ____________

1 한 개에 400원짜리 귤을 사서 학생들에게 한 개씩 주려면 가지고 있는 돈으로는 6개의 귤을 덜 사게 됩니다. 그래서 한 개에 300원짜리 귤로 샀더니 1400원의 거스름돈을 받았습니다. 학생은 몇 명인지 구하시오.

한 개에 400원짜리 귤을 사면 400×6=2400(원)이 부족하게 됩니다.

답 ____________

2 지혜가 가지고 있는 돈으로 가 물건을 4개 사면 430원이 남습니다. 이 돈으로 가 물건보다 30원씩 싼 나 물건을 사면 정확히 9개를 살 수 있다고 합니다. 지혜가 가지고 있는 돈은 얼마인지 구하시오.

만일, 나 물건 대신 가 물건을 9개 사려면 30×9＝270(원)이 부족한 셈 입니다

답 ____________

3 어떤 책을 매일 30쪽씩 읽으면 마지막 날에는 6쪽을 읽게 되고, 같은 날수만큼 매일 34쪽씩 읽으려면 92쪽이 부족합니다. 이 책은 몇 쪽인지 구하시오.

마지막 날에 6쪽을 읽는다는 것은 마지막 날에 읽을 쪽수가 30－6＝24(쪽) 부족하다는 것과 같습니다.

답 ____________

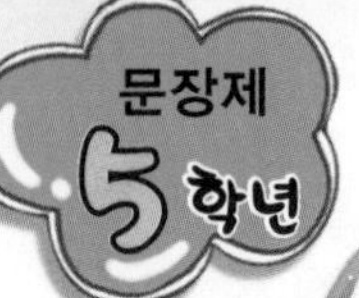

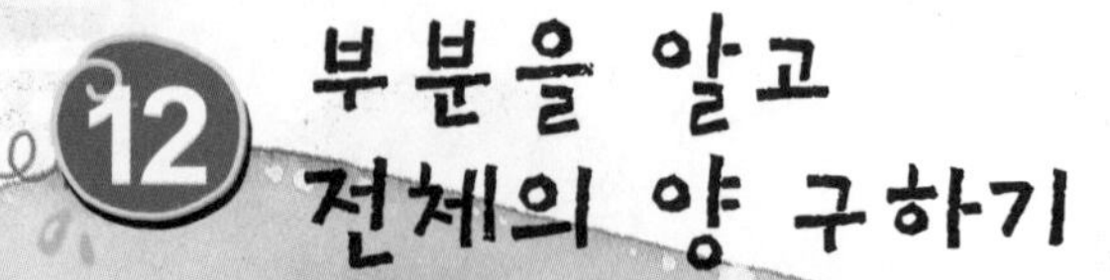

12 부분을 알고 전체의 양 구하기

탐구 문제

규형이는 가지고 있던 철사 길이의 $\frac{3}{5}$을 미술 시간에 사용했습니다. 규형이가 사용한 철사의 길이가 90cm이면, 처음에 가지고 있던 철사의 길이는 몇 cm인지 구하시오.

풀이 그림을 그려 생각하면

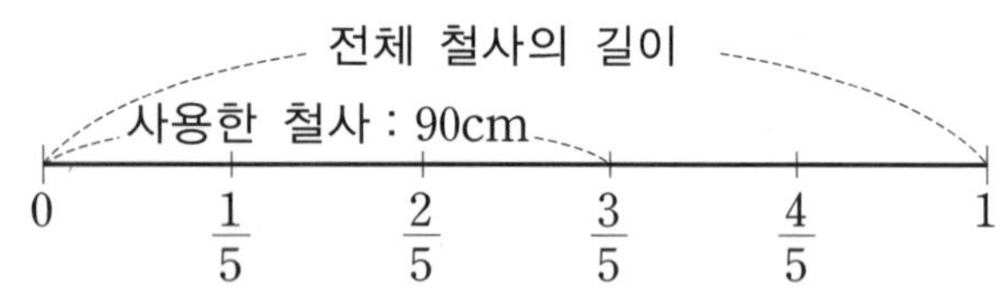

> **꼼꼼 돌다리**
> 전체의 $\frac{1}{5}$에 해당하는 양을 구한 뒤 5배하여 전체를 구합니다.

전체 철사의 길이를 5등분 한 것 중에 3칸이 90cm이므로 1칸은 $90\div3=30$(cm)입니다.
따라서, 전체 철사의 길이는 $30\times5=150$(cm)입니다.
이것을 하나의 식으로 나타내면 $90\div3\times5=150$(cm) 또는 $90\div\frac{3}{5}=\overset{30}{\cancel{90}}\times\frac{5}{\underset{1}{\cancel{3}}}=150$(cm)입니다.

Check Point

어떤 부분을 차지하는 양이 ★만큼이고, 이것이 전체의 $\frac{▲}{■}$를 의미할 때,
전체의 양은 ★÷▲×■ 또는 ★÷$\frac{▲}{■}$입니다.

확인 문제

가영이는 가지고 있던 용돈의 $\frac{3}{4}$으로 과자를 샀습니다. 과자값이 2400원이라면 가영이가 가지고 있던 용돈은 얼마인지 구하시오.

1 가영이가 가지고 있던 용돈을 그림을 이용하여 나타낼 때, □ 안에 알맞은 수를 써 넣으시오.

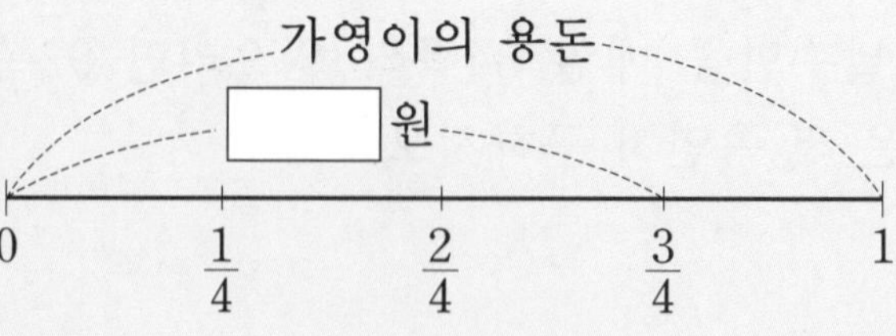

> 수직선에서 가영이가 가지고 있던 돈의 전체를 1로 생각해요.

2 가영이 용돈의 $\frac{1}{4}$은 얼마입니까?

(　　　　　　　　)

3 가영이가 처음에 가지고 있던 용돈은 얼마입니까?

(　　　　　　　　)

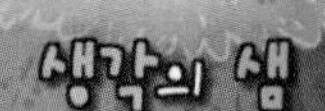

1 한별이는 가지고 있던 리본의 $\frac{2}{5}$를 잘라서 상자를 포장했습니다. 사용한 리본의 길이가 240cm이면, 처음에 가지고 있던 리본의 길이는 몇 cm인지 구하시오.

> 전체의 $\frac{1}{5}$은 $240 \div 2 = 120$(cm)입니다.

풀이

답 ____________

2 한별이는 가지고 있던 위인전의 $\frac{3}{5}$을 읽었습니다. 읽은 쪽수가 42쪽이라면, 이 위인전은 몇 쪽인지 구하시오.

> 위인전의 $\frac{1}{5}$은 $42 \div 3 = 14$(쪽)입니다.

풀이

답 ____________

3 예슬이네 반 전체의 $\frac{3}{7}$이 수학을 좋아합니다. 수학이 아닌 다른 과목을 좋아하는 사람이 16명이라면, 예슬이네 반 학생 수는 몇 명인지 구하시오. (단, 1사람이 1과목만 좋아하는 것으로 합니다.)

> 다른 과목을 좋아하는 학생은 전체의 $\frac{4}{7}$입니다.

풀이

답 ____________

생각의 샘

> 안경을 쓰지 않은 사람은 전체의 $\frac{5}{11}$입니다.

4 동민이네 반 전체의 $\frac{6}{11}$이 안경을 쓴 사람입니다. 안경을 쓰지 않은 사람이 10명이라면, 동민이네 반 학생은 몇 명인지 구하시오.

답 ________________

> (친구에게 준 구슬 수)
> =(전체 구슬 수)÷2

5 율기가 가지고 있던 구슬 수의 $\frac{4}{9}$는 24개입니다. 가지고 있던 구슬 전체의 반을 친구에게 주었습니다. 친구에게 준 구슬은 몇 개인지 구하시오.

답 ________________

> 먼저 한초가 가지고 있는 사탕의 수를 구합니다.

6 한초가 가지고 있는 사탕의 $\frac{2}{7}$는 16개입니다. 가지고 있는 사탕의 $\frac{1}{8}$은 몇 개인지 구하시오.

답 ________________

생각의 샘

1 어떤 수의 $\frac{5}{6}$는 80입니다. 어떤 수의 $\frac{5}{8}$는 얼마인지 구하시오.

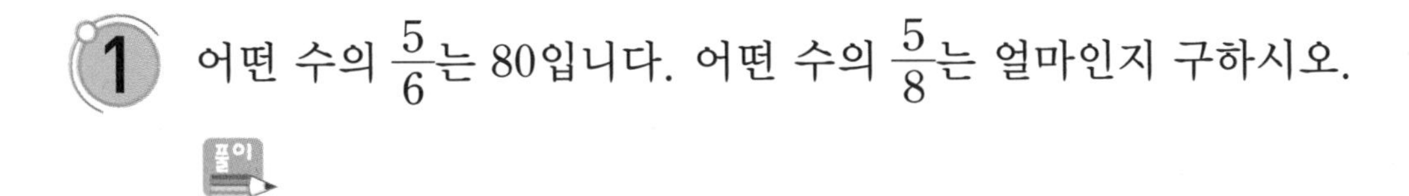

풀이

> 먼저 어떤 수를 구해 봅니다.

답 ______________

2 어떤 수와 어떤 수의 $\frac{2}{3}$와의 합이 120일 때, 어떤 수는 얼마인지 구하시오.

풀이

> 전체와 부분이 나타내는 크기를 수직선으로 그려 봅니다.

답 ______________

3 박물관에 입장한 어른은 어린이 입장객 수의 $\frac{3}{7}$입니다. 전체 입장객 수가 1440명이라면, 어린이 입장객 수는 몇 명인지 구하시오.

풀이

> 어른과 어린이의 입장객 수를 수직선으로 나타내면 전체 구간을 3+7=10(구간)으로 나눌 수 있습니다.

답 ______________

굴의 수를 1이라 생각하고 수직선으로 그림을 그려 봅니다.

4 어떤 상점에 사과와 귤이 451개 있습니다. 사과의 수가 귤의 수의 $\frac{3}{8}$이면 귤의 수는 몇 개인지 구하시오.

답 ________________

♥의 값을 구하여 ♥$\times\frac{3}{5}$을 구합니다.

5 ♥와 ♥의 $\frac{4}{9}$와의 합이 715입니다. ♥의 $\frac{3}{5}$은 얼마인지 구하시오.

답 ________________

(운동장에 남아 있는 남학생 수)
=(운동장에 있는 남학생 수)−(교실로 들어간 남학생 수)

6 학교 운동장에서 놀고 있는 432명의 학생 중에서 여학생 수는 남학생 수의 $\frac{3}{13}$입니다. 이 중 94명의 남학생이 교실로 들어갔다면, 운동장에 남아 있는 남학생은 몇 명인지 구하시오.

답 ________________

1 동민이는 딱지와 구슬을 가지고 있습니다. 딱지의 수는 구슬의 수의 $\frac{5}{7}$이고, 개수의 차는 18개입니다. 동민이가 가지고 있는 딱지와 구슬은 모두 몇 개인지 구하시오.

> 구슬의 수를 ⑦로 놓으면 딱지의 수는 ⑤에 해당합니다.

풀이

답 ____________

2 아이스크림 창고에 가 제품과 나 제품이 쌓여 있습니다. 가 제품의 수는 나 제품의 수의 $\frac{4}{9}$이고, 개수의 차는 260개입니다. 이 창고에 쌓여 있는 가와 나 제품의 수는 모두 몇 개인지 구하시오.

> 가 제품과 나 제품을 각각 수직선으로 나타내어 생각합니다.

풀이

답 ____________

3 어느 학교의 남학생 수는 전체 학생 수의 $\frac{3}{7}$보다 46명 많고, 여학생 수는 전체 학생 수의 $\frac{2}{5}$보다 26명 더 많다고 합니다. 전체 학생 수는 몇 명인지 구하시오.

> 전체 학생 수의 $1-\left(\frac{3}{7}+\frac{2}{5}\right)=\frac{6}{35}$은 46명과 26명의 합과 같습니다.

풀이

답 ____________

13 전체를 한쪽으로 가정하여 해결하기

탐구 문제

돼지와 닭을 합하여 7마리가 있습니다. 그 다리 수를 세어 보니 모두 20개였다면 돼지와 닭은 각각 몇 마리씩 있는지 구하시오.

풀이 우선 7마리 모두 닭이라고 가정하면 다리 수는 $7\times2=14$(개)입니다. 그러나 실제로는 20개이므로 $20-14=6$(개) 차이가 납니다. 닭은 한 마리씩 줄이고 돼지를 한 마리씩 늘릴 때마다 다리는 $4-2=2$(개)씩 늘어나므로, 돼지는 $6\div2=3$(마리)가 됩니다.

꼼꼼 돌다리

7마리 모두 돼지로 가정하여 식을 세우면 닭의 수부터 구해집니다.
(28−20)÷(4−2)=4

즉, 모두 닭이라고 가정할 때, 돼지는 $(20-2\times7)\div(4-2)=3$(마리)이고, 닭은 $7-3=4$(마리)입니다.

Check Point

한쪽으로 가정한 값과 실제값의 차를 개별의 차로 나누어 다른 쪽을 구합니다.

확인 문제

얼룩말과 타조를 합하여 10마리 있습니다. 다리 수를 세어 보니 모두 36개였습니다. 얼룩말은 몇 마리인지 구하시오.

1 10마리 모두 타조라고 가정하면 다리는 몇 개입니까?

( )

2 가정한 다리 수와 실제 다리 수와의 차는 몇 개입니까?

( )

3 얼룩말은 몇 마리인지 식을 세워 답을 구하시오.

( )

얼룩말을 물어보았으므로, 10마리 모두 타조로 가정하여 식을 세웁니다.

1 고양이와 오리를 합하여 12마리가 있습니다. 다리 수를 세어 보니 38개였습니다. 고양이는 몇 마리인지 구하시오.

12마리 모두 오리로 가정한 다리 수는?
→ 12×2

답 ____________

2 사자와 펭귄을 합하여 20마리가 있습니다. 다리 수를 세어보니 66개였습니다. 사자는 몇 마리인지 구하시오.

답 ____________

3 강아지와 병아리를 합하여 18마리가 있습니다. 다리 수를 세어 보니 60개였습니다. 병아리는 몇 마리인지 구하시오.

병아리의 수를 물었으므로 18마리 모두 강아지로 가정하세요!

답 ____________

자가용 1대의 바퀴 수 → 4개,
두발자전거 1대의 바퀴 수 → 2개

4 자가용과 두발자전거를 합하여 30대가 있습니다. 바퀴의 수가 모두 100개라면 두발자전거는 몇 대인지 구하시오.

답 ____________

초콜릿 1개끼리의 가격의 차는? → 800-500

5 500원짜리 초콜릿과 800원짜리 초콜릿을 합하여 15개 사고 9000원을 지불하였습니다. 500원짜리 초콜릿을 몇 개 샀는지 구하시오.

답 ____________

사과 1개와 배 1개의 가격의 차는? → 500-300

6 1개에 300원씩 하는 사과와 1개에 500원씩 하는 배를 합하여 20개 사고 8400원을 지불하였습니다. 배를 몇 개 샀는지 구하시오.

답 ____________

1 한별이는 문방구점에서 250원짜리 지우개와 400원짜리 공책을 합하여 12개 사는데 5000원을 내고 1250원을 거슬러 받았습니다. 산 지우개와 공책의 수를 각각 구하시오.

지우개와 공책을 사는데 지불한 돈은?
→ 5000-1250

풀이

답 ____________

2 예슬이의 어머니가 돈 10000원을 가지고 과일 가게에 가서 200원짜리 귤과 400원짜리 감을 합하여 23개를 사고 나니 3800원이 남았습니다. 예슬이 어머니가 산 귤과 감은 각각 몇 개인지 구하시오

귤과 감을 사는데 지불한 돈은?
→ 10000-3800

풀이

답 ____________

3 10개들이 달걀 꾸러미와 20개들이 달걀 꾸러미를 합하여 27꾸러미를 사서 달걀을 낱개로 세어 보니 420개였습니다. 20개들이 달걀 꾸러미와 10개들이 달걀 꾸러미는 몇 꾸러미 차이인지 구하시오.

실제 개수와 가정한 개수의 차를 이용해야지요!

풀이

답 ____________

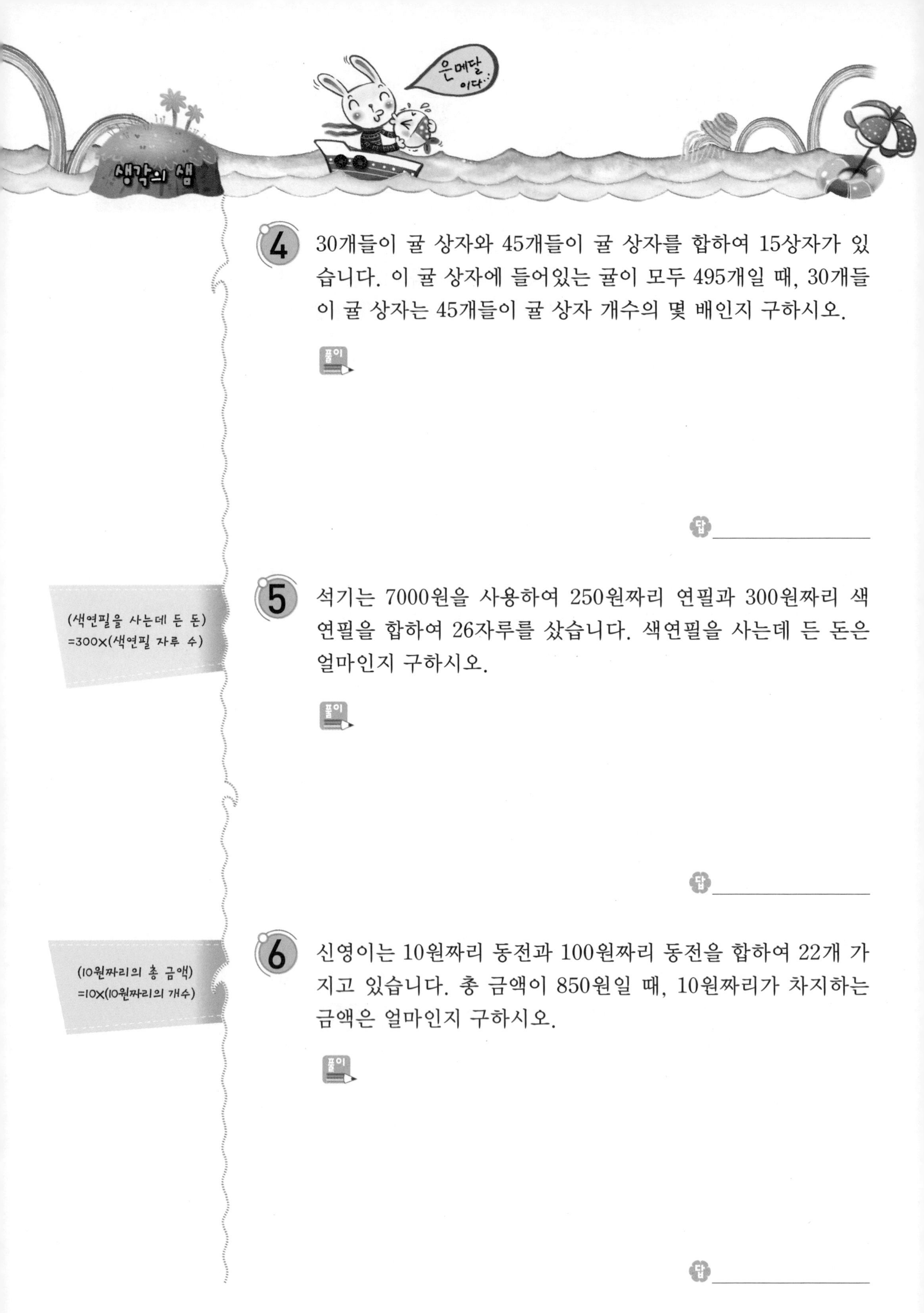

4 30개들이 귤 상자와 45개들이 귤 상자를 합하여 15상자가 있습니다. 이 귤 상자에 들어있는 귤이 모두 495개일 때, 30개들이 귤 상자는 45개들이 귤 상자 개수의 몇 배인지 구하시오.

풀이

답 ____________

(색연필을 사는데 든 돈)
=300×(색연필 자루 수)

5 석기는 7000원을 사용하여 250원짜리 연필과 300원짜리 색연필을 합하여 26자루를 샀습니다. 색연필을 사는데 든 돈은 얼마인지 구하시오.

풀이

답 ____________

(10원짜리의 총 금액)
=10×(10원짜리의 개수)

6 신영이는 10원짜리 동전과 100원짜리 동전을 합하여 22개 가지고 있습니다. 총 금액이 850원일 때, 10원짜리가 차지하는 금액은 얼마인지 구하시오.

풀이

답 ____________

1 한별이는 가지고 있던 5000원의 $\frac{3}{5}$을 내고, 형은 한별이가 낸 돈보다 840원을 더 내어, 180원짜리 물건 A와 300원짜리 물건 B를 합해서 30개 샀습니다. 물건 A는 몇 개를 샀는지 구하시오.

(물건을 산 돈)=(한별이가 낸 돈)+(형이 낸 돈)

풀이

답 ______________

2 율기는 가지고 있던 돈 12000원의 $\frac{3}{4}$보다 1000원 적은 돈을 사용하여 250원짜리 귤과 400원짜리 사과를 합해 26개를 샀습니다. 사과를 사는데 든 금액을 구하시오.

(사과를 사는데 든 금액)=400×(산 사과의 개수)

풀이

답 ______________

3 석기는 1분 동안 보통 걸음으로는 70m, 빠른 걸음으로는 110m의 빠르기로 걷습니다. 처음 얼마 동안은 보통 걸음으로 걷다가, 도중에 빠른 걸음으로 걷기 시작하여 목적지에 도착하는데 걸린 시간이 총 13분이었고 걸은 거리는 1110m였습니다. 빠른 걸음으로 몇 분을 걸었는지 구하시오.

13분 내내 보통 걸음으로 걸은 것으로 가정해 보세요!

풀이

답 ______________

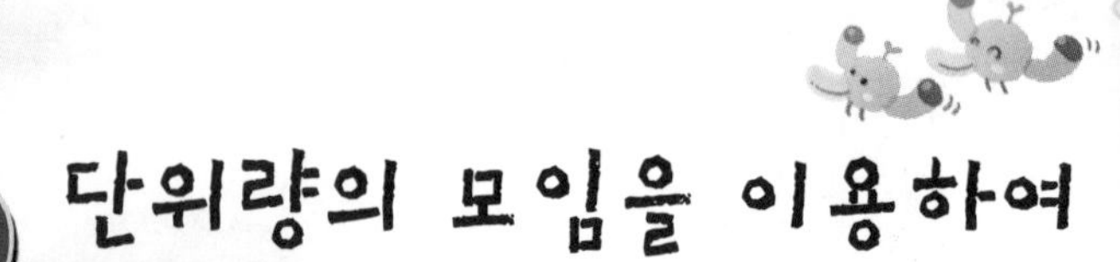

14 단위량의 모임을 이용하여 해결하기

2사람이 3일 동안 일을 하여 합계 24만 원의 임금을 받았습니다. 만일, 3사람이 5일 동안 일을 한다면 얼마의 임금을 받는지 구하시오.

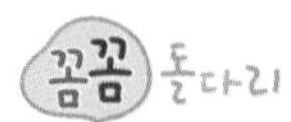

풀이1 한 사람이 하루 동안 하는 일의 양을 1로 하면, 2사람이 3일 동안 하는 일의 양은 $1\times2\times3=6$입니다. 그러므로, 1사람이 1일 일하여 받는 돈은 $240000\div6=40000$(원)입니다. 만일, 3사람이 5일 동안 일을 한다면 그 일의 양은 $1\times3\times5=15$이므로, 받는 임금은 $40000\times15=600000$(원)입니다.

꼼꼼 돌다리

2사람이 3일 동안 하는 일의 양은 1사람이 2×3=6(일) 동안 하는 일의 양과 같습니다.

풀이2 $240000\times\dfrac{3\times5}{2\times3}=600000$(원)

Check Point

한 사람이 하루 동안 하는 일의 양을 단위량으로 하여 문제를 해결합니다.

확인 문제

3사람이 4일 동안 일을 하여 합계 60만 원의 임금을 받았습니다. 만일, 5사람이 6일 동안 일을 한다면 얼마의 임금을 받는지 구하시오.

1 1사람이 1일 일하는 일의 양을 1로 할 때, 3사람이 4일 일하는 일의 양은 얼마입니까?

( )

3사람이 4일 일하는 양은 1사람이 며칠 일하는 일의 양과 같은지 생각하세요!

2 1사람이 1일 일하여 받는 임금을 구하시오.

( )

3 5사람이 6일 일하여 받는 임금을 구하시오.

( )

생각의 샘

1 3사람이 3일 동안 일을 하여 합계 27만 원을 받았습니다. 만일, 같은 일을 4사람이 5일 동안 한다면 얼마의 임금을 받을 수 있는지 구하시오.

> 1사람이 1일 일하는 일의 양을 1로 하면, 3사람이 3일 일하는 양은?
> → 1×3×3

풀이

답 ____________

2 4사람이 6일 동안 일을 하여 합계 96만 원을 받았습니다. 만일, 같은 일을 3사람이 4일 동안 한다면 얼마의 임금을 받을 수 있는지 구하시오.

> (1사람이 1일 일하여 받은 금액)=(받은 전체 금액)÷(일을 한 양)

풀이

답 ____________

3 5사람이 3시간 동안 일을 하여 합계 75000원을 받았습니다. 만일, 같은 일을 8사람이 5시간 동안 한다면 얼마의 임금을 받을 수 있는지 구하시오.

풀이

답 ____________

1개의 수도관으로 1시간 넣는 물의 양을 1로 생각!

4 커다란 물탱크에 굵기가 같은 2개의 수도관으로 3시간 동안 18t의 물을 넣을 수 있습니다. 이와 같은 수도관 5개를 사용하여 4시간 동안 넣을 수 있는 물의 양은 몇 t인지 구하시오.

풀이

답 ________________

5 소 5마리가 10일 동안 먹는 풀의 양은 250kg입니다. 소 15마리가 12일 동안 먹는 풀의 양은 몇 kg인지 구하시오.

답 ________________

해야 할 전체 일의 양 → 1×7×15로 생각!

6 7명이 15일 동안 할 일을 5명이 한다면 며칠 걸리는지 구하시오.

답 ________________

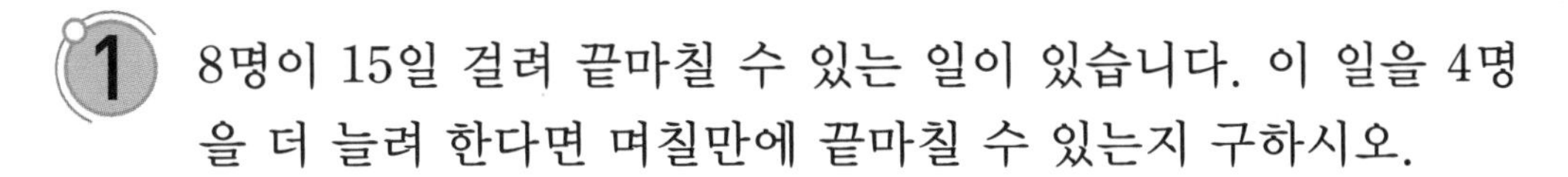

1 8명이 15일 걸려 끝마칠 수 있는 일이 있습니다. 이 일을 4명을 더 늘려 한다면 며칠만에 끝마칠 수 있는지 구하시오.

> 해야 할 전체 일의 양
> → 1×8×15로 생각하세요.

풀이

답 ________________

2 양 20마리가 10일 동안 600kg의 풀을 먹습니다. 이 풀을 양 8마리가 먹는다면 며칠 동안 먹을 수 있는지 구하시오.

> 양 1마리가 1일 먹는 풀의 양
> → (전체 풀의 양)÷(20×10)

풀이

답 ________________

3 3명이 10일 동안 일을 하면 전체 일의 $\frac{1}{2}$을 할 수 있습니다. 5명이 전체 일을 한다면 며칠 만에 끝낼 수 있는지 구하시오.

> 전체 일의 양을
> (3×10×2)로 생각합니다.

풀이

답 ________________

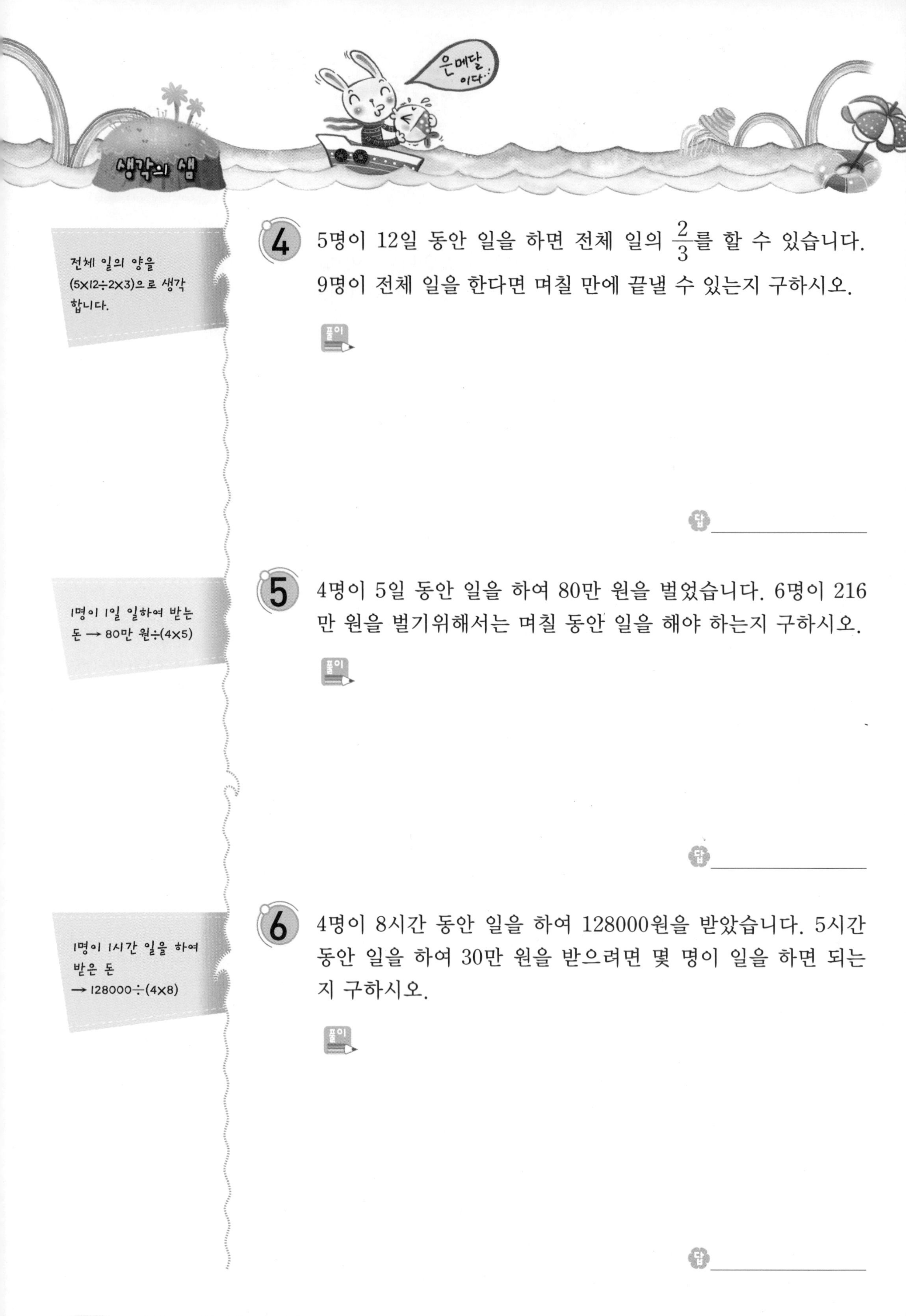

전체 일의 양을 (5×12÷2×3)으로 생각합니다.

4 5명이 12일 동안 일을 하면 전체 일의 $\frac{2}{3}$를 할 수 있습니다. 9명이 전체 일을 한다면 며칠 만에 끝낼 수 있는지 구하시오.

풀이

답 ________

1명이 1일 일하여 받는 돈 → 80만 원÷(4×5)

5 4명이 5일 동안 일을 하여 80만 원을 벌었습니다. 6명이 216만 원을 벌기위해서는 며칠 동안 일을 해야 하는지 구하시오.

풀이

답 ________

1명이 1시간 일을 하여 받은 돈 → 128000÷(4×8)

6 4명이 8시간 동안 일을 하여 128000원을 받았습니다. 5시간 동안 일을 하여 30만 원을 받으려면 몇 명이 일을 하면 되는지 구하시오.

풀이

답 ________

1 5사람이 매일 8시간씩 일을 하여 14일 만에 끝마칠 수 있는 일이 있습니다. 이 일을 7사람이 매일 5시간씩 일을 하면 며칠 걸리는지 구하시오.

1사람이 1시간에 하는 일의 양을 1로 생각하세요!

답 ________________

2 큰 트럭 2대로 30번 옮겨야 할 짐이 있습니다. 이 짐을 작은 트럭 5대로 옮기려면 몇 번을 옮겨야 하는지 구하시오. (단, 큰 트럭은 작은 트럭의 2배의 짐을 싣습니다.)

(큰 트럭 2대로 30번 옮길 짐)=(작은 트럭 4대로 30번 옮길 짐)

답 ________________

3 경운기 3대로 5일 동안 30ha의 밭을 간다고 합니다. 80ha의 밭을 4일 동안 모두 갈려면 경운기는 몇 대가 필요한지 구하시오.

경운기 1대로 1일 동안 가는 밭 → 30÷3÷5

답 ________________

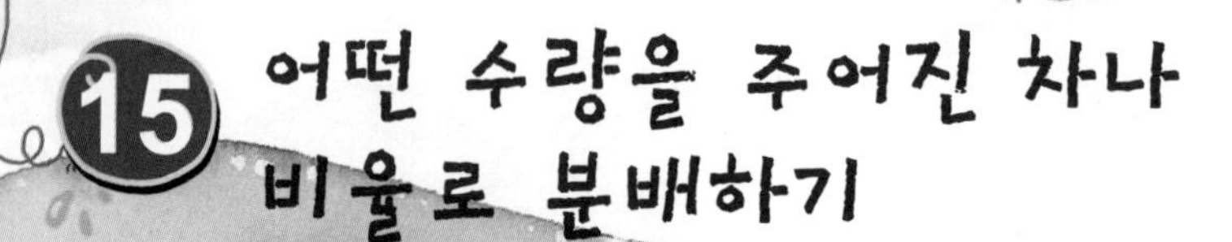

15 어떤 수량을 주어진 차나 비율로 분배하기

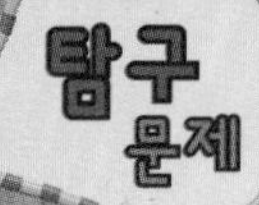

석기, 동민, 한초가 6700원의 돈을 나누어 가지려고 합니다. 동민이는 석기보다 200원 많게, 한초는 동민이보다 300원 많게 나누어 가진다면 석기, 동민, 한초는 각각 얼마씩 갖게 되는지 구하시오.

풀이 세 사람이 갖는 돈을 선분도로 나타냅니다.

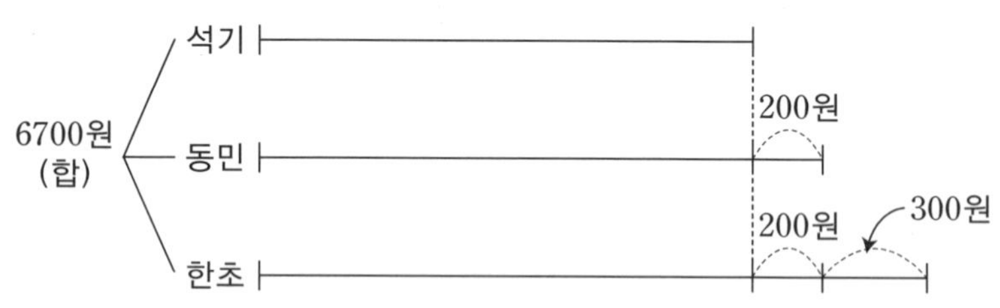

꼼꼼 돌다리

세 명의 선분 길이의 합이 6700이므로, 석기보다 긴 선분에 해당하는 200×2+300=700을 뺀 뒤 3으로 나누면 석기의 돈을 구할 수 있지요!

위의 선분도에서 석기를 기준으로 생각하면 석기가 갖는 돈은 $\{6700-(200\times2+300)\}\div3=2000$(원)입니다. 따라서, 동민이는 $2000+200=2200$(원), 한초는 $2200+300=2500$(원)을 갖습니다.

Check Point

선분도를 이용하여 기준으로 정한 양을 먼저 알아낸 뒤 나머지 양을 구합니다.

확인 문제

한별, 예슬, 율기 3사람이 가지고 있는 색종이는 모두 122장입니다. 예슬이는 한별이보다 12장 더 가지고 있고, 율기는 예슬이보다 8장 더 가지고 있습니다. 3사람이 가지고 있는 색종이의 수를 각각 구하시오.

1 3사람이 가지고 있는 색종이의 수를 선분으로 나타낼 때, □ 안에 알맞은 수를 써 넣으시오.

한별이의 색종이가 가장 적으므로 한별이의 색종이 수부터 구하는 것이 편리해요~.

2 한별이의 색종이는 몇 장인지 식을 세워 구하시오.

(　　　　　　　　　　　　　　　　　　　　)

3 예슬이와 율기의 색종이는 몇 장인지 각각 구하시오.

(　　　　　　　　　　　　)

생각의 샘

1 복숭아, 참외, 자두가 모두 40개 있습니다. 참외는 복숭아 보다 2개 많고, 자두는 참외보다 3개 많습니다. 복숭아, 참외, 자두는 각각 몇 개인지 구하시오.

선분을 그려 해결하세요!

풀이

답 ____________________

2 A, B, C 3종류의 물건이 모두 300개 있습니다. 물건 A는 물건 B보다 20개 많고, 물건 C는 물건 A보다 7개 적습니다. 물건 A, B, C는 각각 몇 개인지 구하시오.

물건 B의 개수가 가장 적네요!

풀이

답 ____________________

3 56개의 사탕을 예슬이가 한솔이의 3배가 되도록 나누어 가졌습니다. 예슬이는 사탕을 몇 개 가졌는지 구하시오.

한솔이의 사탕 수를 ①로 하면 예슬이의 사탕 수는 ③입니다.

풀이

답 ____________________

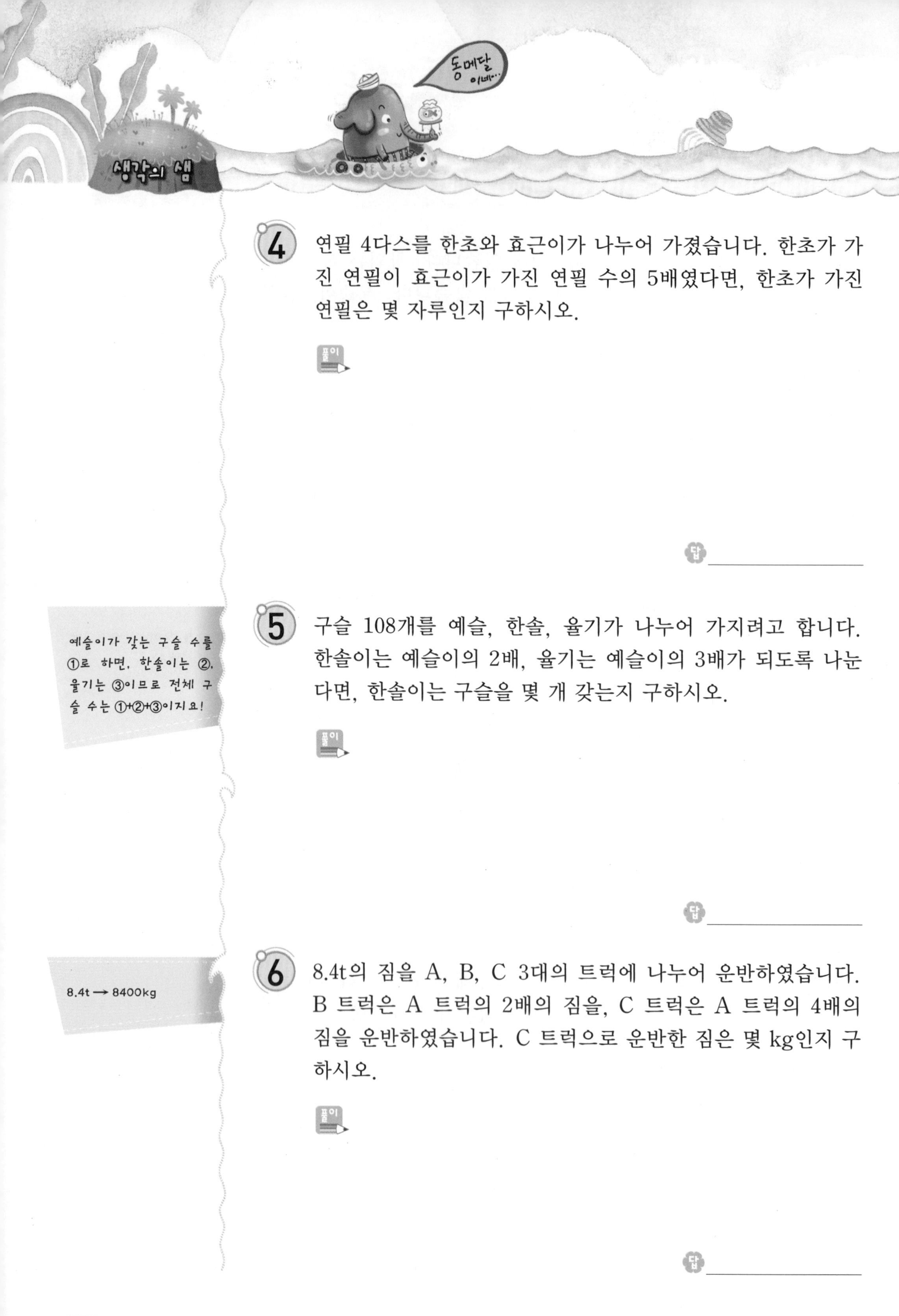

4 연필 4다스를 한초와 효근이가 나누어 가졌습니다. 한초가 가진 연필이 효근이가 가진 연필 수의 5배였다면, 한초가 가진 연필은 몇 자루인지 구하시오.

풀이

답 ______

예슬이가 갖는 구슬 수를 ①로 하면, 한솔이는 ②, 율기는 ③이므로 전체 구슬 수는 ①+②+③이지요!

5 구슬 108개를 예슬, 한솔, 율기가 나누어 가지려고 합니다. 한솔이는 예슬이의 2배, 율기는 예슬이의 3배가 되도록 나눈다면, 한솔이는 구슬을 몇 개 갖는지 구하시오.

풀이

답 ______

8.4t → 8400kg

6 8.4t의 짐을 A, B, C 3대의 트럭에 나누어 운반하였습니다. B 트럭은 A 트럭의 2배의 짐을, C 트럭은 A 트럭의 4배의 짐을 운반하였습니다. C 트럭으로 운반한 짐은 몇 kg인지 구하시오.

풀이

답 ______

생각의 샘

1 128개의 귤을 작은 상자와 큰 상자에 나누어 담았습니다. 큰 상자에 담은 귤은 작은 상자에 담은 귤 수의 2배보다 8개 더 많습니다. 큰 상자에 담은 귤의 개수를 구하시오.

작은 상자에 담은 귤 수를 ①로 할 때, 큰 상자에 담은 귤 수는 → ②+8개

풀이

답 ____________

2 석기와 예슬이가 가지고 있는 돈은 모두 8100원입니다. 예슬이가 가지고 있는 돈이 석기가 가지고 있는 돈의 3배보다 500원 많을 때, 예슬이가 가지고 있는 돈은 얼마인지 구하시오.

석기의 돈은? → (8100−500)÷4

풀이

답 ____________

3 2m 길이의 철사를 둘로 잘라 비교하니 긴 쪽의 길이가 짧은 쪽의 길이의 3배보다 40cm 만큼 짧았습니다. 긴 쪽의 길이를 구하시오.

긴 쪽에 40cm 만큼의 길이를 더해주면, 긴 쪽의 길이는 짧은 쪽 길이의 3배이지요!

풀이

답 ____________

4 한초는 필통과 크레파스를 각각 1개씩 사고 7200원을 지불하였습니다. 크레파스의 값이 필통 값의 2배보다 300원 쌌습니다. 크레파스의 값을 구하시오.

풀이

답 ____________

석기의 색종이 수를 ①로 하면 동민이의 색종이 수는?
→ $\frac{1}{2}$(원)+15장

5 석기와 동민이가 가지고 있는 색종이는 모두 90장입니다. 동민이는 석기의 색종이 수의 $\frac{1}{2}$보다 15장 더 가지고 있습니다. 석기의 색종이 수를 구하시오.

풀이

답 ____________

은행나무의 수를 ①로 하면 단풍나무의 수는?
→ $\frac{1}{3}$(원)-5그루

6 은행나무와 단풍나무가 모두 75그루 있습니다. 단풍나무가 은행나무 수의 $\frac{1}{3}$보다 5그루 적다면 은행나무는 몇 그루인지 구하시오.

풀이

답 ____________

1 한솔이와 율기가 가지고 있는 바둑돌 수의 차는 36개이고, 한솔이는 율기가 가지고 있는 바둑돌 수의 3배보다 4개 더 가지고 있습니다. 율기가 가지고 있는 바둑돌은 몇 개인지 구하시오.

선분도를 그린 뒤 두 선분 길이의 차가 36개임을 활용합니다.

풀이

답 ____________

2 예슬이와 가영이가 가지고 있는 돈의 차는 4500원이고, 예슬이는 가영이가 가지고 있는 돈의 4배보다 300원 적습니다. 가영이가 가지고 있는 돈은 얼마인지 구하시오.

돈의 차가 4500원임을 활용하여야 합니다.

풀이

답 ____________

3 창고에 A, B, C 3종류의 물건이 모두 50개 있습니다. A 물건의 개수는 B와 C 물건 개수의 합과 같고, B 물건은 C 물건 개수의 2배보다 1개 더 많습니다. B 물건의 개수를 구하시오.

B와 C의 합은?
→ 50÷2

풀이

답 ____________

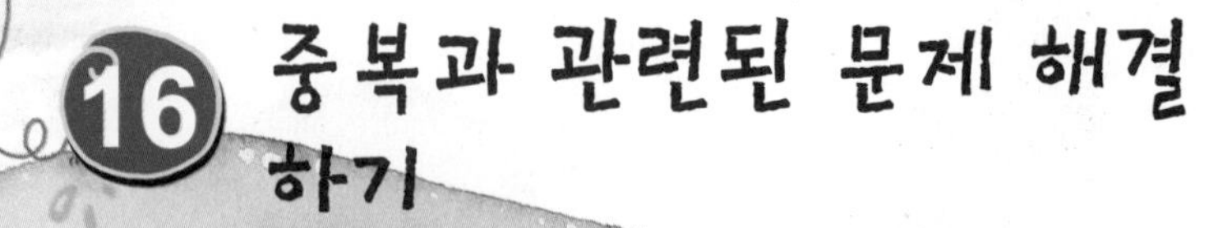

16 중복과 관련된 문제 해결하기

탐구 문제

한별이네 반 학생 36명을 대상으로 산과 바다를 좋아하는 학생을 조사하였더니, 산을 좋아하는 학생은 24명, 바다를 좋아하는 학생이 21명 이었습니다. 산과 바다 둘 다 싫어하는 학생은 없다고 할 때, 산과 바다를 둘 다 좋아하는 학생은 몇 명인지 구하시오.

풀이1 선분도를 이용하여 나타내면 다음과 같습니다.

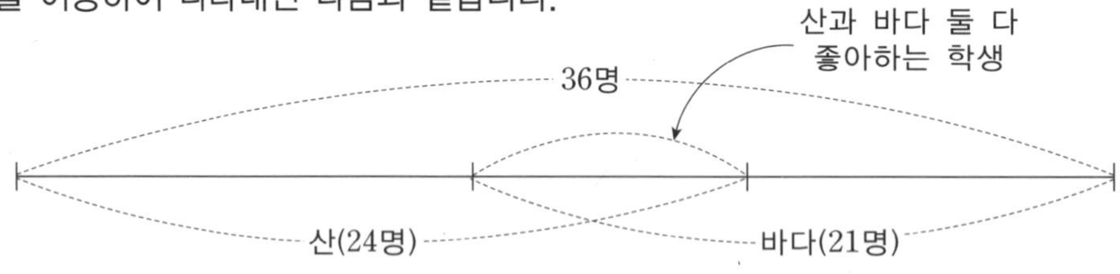

위의 선분도에서 볼 때, 산과 바다를 둘 다 좋아하는 학생 수는 $24+21-36=9$(명)입니다.

풀이2 벤다이어그램을 이용하여 나타내면 다음과 같습니다.

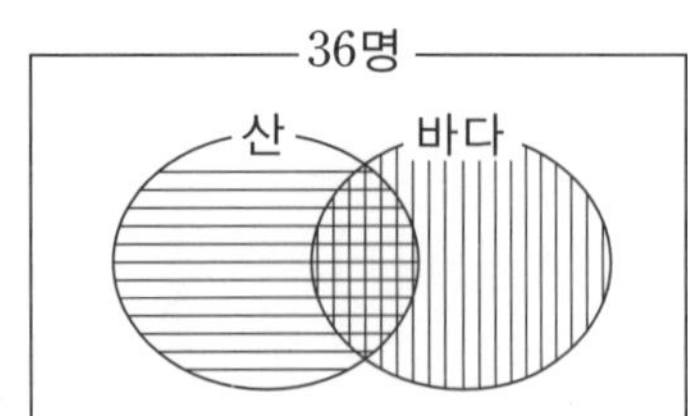

왼쪽 그림에서 (가로줄 무늬) 부분은 24명, (세로줄 무늬) 부분은 21명, (격자 무늬) 부분은 산과 바다를 둘 다 좋아하는 학생이므로, (격자 무늬) 부분의 학생 수는 $24+21-36=9$(명)입니다.

> **꼼꼼 돋다리**
> 경우에 따라서는 벤다이어그램을 이용하여 문제를 해결하는 것이 편리할 때가 많아요~.

Check Point

선분도나 벤다이어그램을 이용하여 중복되어 있는 부분에 유의해 문제를 해결합니다.

확인 문제

학생 60명을 대상으로 초콜릿과 아이스크림을 좋아하는 학생을 조사하였더니 초콜릿을 좋아하는 학생이 35명, 아이스크림을 좋아하는 학생이 40명이었습니다. 초콜릿과 아이스크림 둘 다 싫어하는 학생은 없다고 할 때, 초콜릿과 아이스크림을 둘 다 좋아하는 학생은 몇 명인지 구하시오.

1 초콜릿과 아이스크림을 좋아하는 학생을 선분도로 나타내었습니다. □ 안에 알맞은 수를 써 넣으시오.

전체 학생 □명

초콜릿과 아이스크림 둘 다 좋아하는 학생

초콜릿 □명 아이스크림 □명

2 초콜릿과 아이스크림을 둘 다 좋아하는 학생은 몇 명인지 식을 세워 구하시오.

( )

동메달 따기

생각의 샘

220명의 사람을 대상으로 애완견이나 고양이를 기르는 사람 수를 조사하였더니, 애완견을 기르는 사람은 80명, 고양이를 기르는 사람은 50명이었고, 애완견과 고양이 중 어느 것도 기르지 않는 사람이 100명이었습니다. 물음에 답하시오. (1～3)

1 문제 상황을 벤다이어그램으로 나타내면 다음과 같습니다. ( ) 안에 알맞은 수를 써 넣으시오.

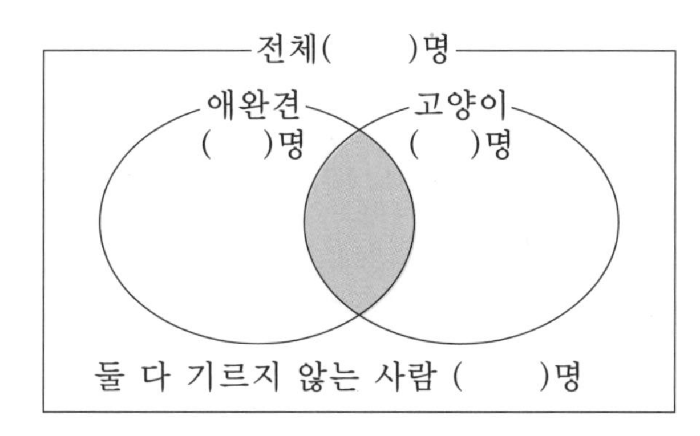

2 애완견 또는 고양이를 기르는 사람은 몇 명인지 구하시오.

(전체 인원 수)-(둘 다 기르지 않는 인원 수)=(둘 중에 하나라도 기르는 인원 수)

답 ____________

3 위 벤다이어그램의 색칠한 부분에 해당하는 사람은 몇 명인지 구하시오.

답 ____________

50명의 학생을 대상으로 축구와 야구를 좋아하는 학생 수를 조사하였습니다. 축구를 좋아하는 학생은 32명, 야구를 좋아하는 학생은 26명 이었습니다. 물음에 답하시오. (4～6)

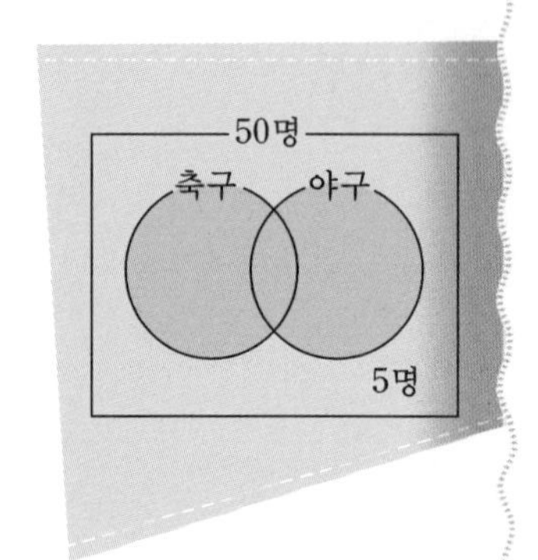

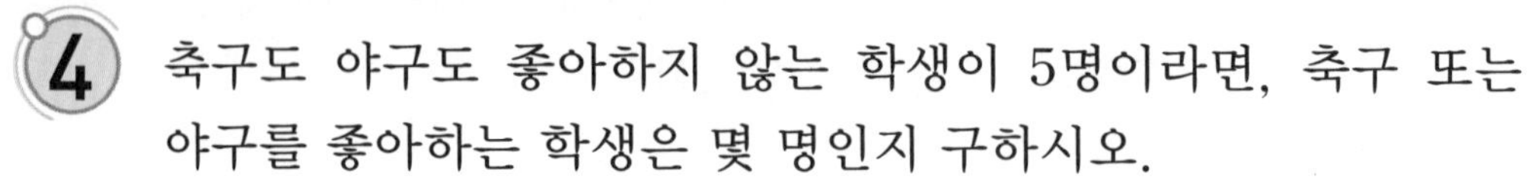

4 축구도 야구도 좋아하지 않는 학생이 5명이라면, 축구 또는 야구를 좋아하는 학생은 몇 명인지 구하시오.

답 ______________

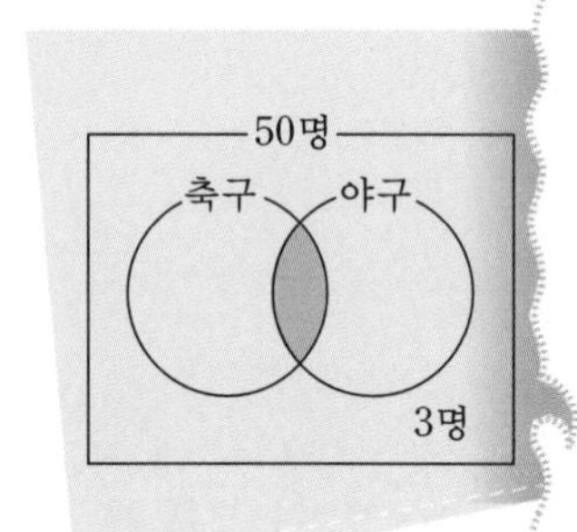

5 축구도 야구도 좋아하지 않는 학생이 3명이라면, 축구와 야구를 모두 좋아하는 학생은 몇 명인지 구하시오.

답 ______________

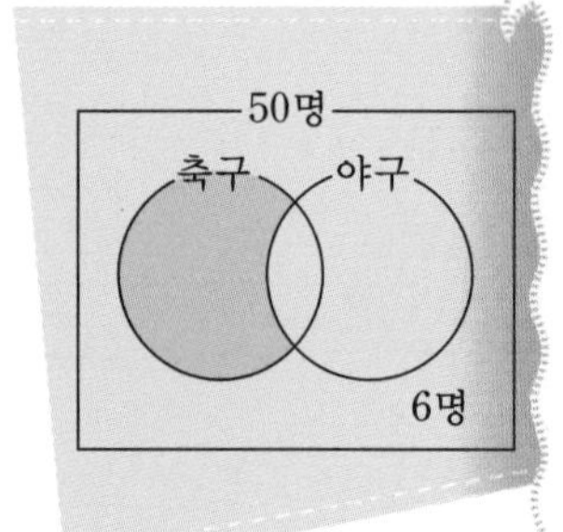

6 축구도 야구도 좋아하지 않는 학생이 6명이라면, 축구만 좋아하는 학생은 몇 명인지 구하시오.

답 ______________

은메달 따기

생각의 샘

직장인 1200명을 대상으로 출근할 때의 교통 수단을 조사한 결과 버스를 타고 출근하는 사람이 전체의 $\frac{1}{3}$, 전철을 타고 출근하는 사람이 전체의 $\frac{1}{2}$이었습니다. 물음에 답하시오. (1～3)

1 버스도 전철도 이용하지 않는 사람이 300명일 때, 버스와 전철을 둘 다 이용하는 사람은 몇 명인지 구하시오.

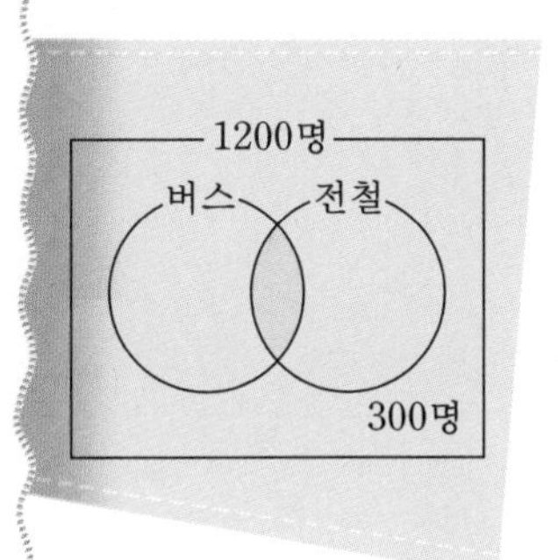

답 ____________

2 버스와 전철을 둘 다 이용하는 사람이 80명일 때, 버스도 전철도 이용하지 않는 사람은 몇 명인지 구하시오.

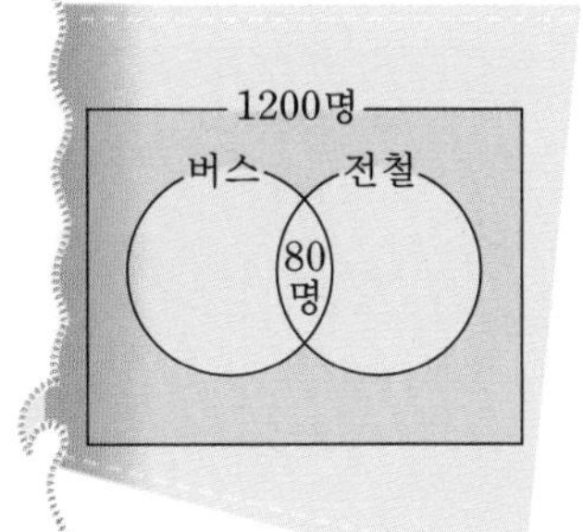

답 ____________

3 버스만 이용하는 사람이 330명일 때, 전철만 이용하는 사람은 몇 명인지 구하시오.

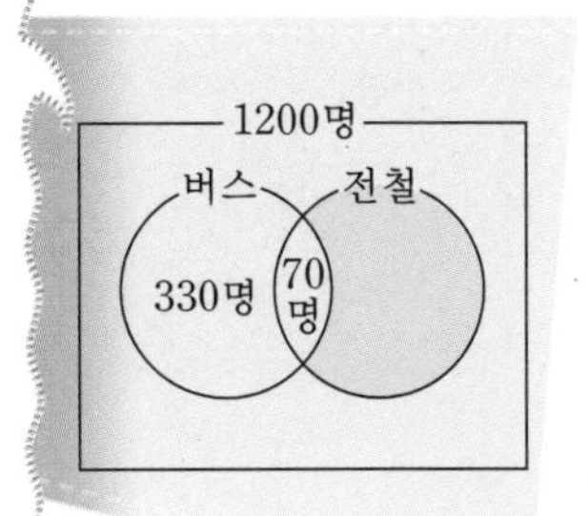

답 ____________

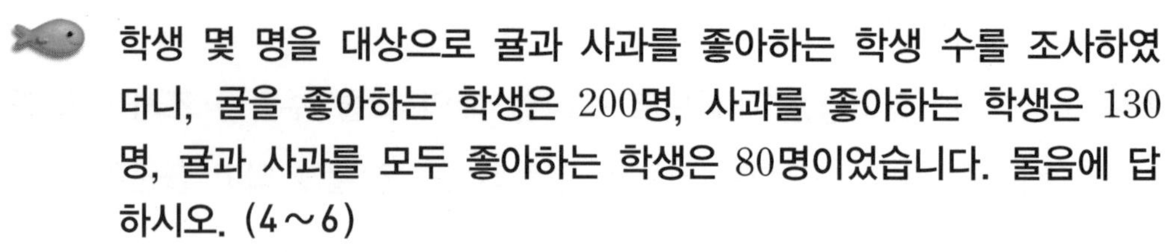

학생 몇 명을 대상으로 귤과 사과를 좋아하는 학생 수를 조사하였더니, 귤을 좋아하는 학생은 200명, 사과를 좋아하는 학생은 130명, 귤과 사과를 모두 좋아하는 학생은 80명이었습니다. 물음에 답하시오. (4～6)

300명
귤 사과
80명

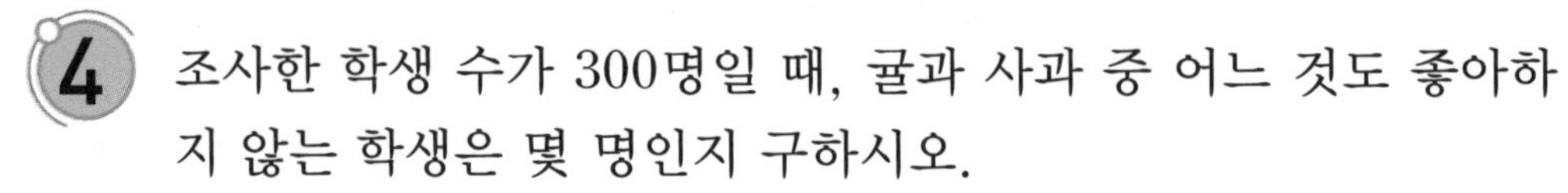

4 조사한 학생 수가 300명일 때, 귤과 사과 중 어느 것도 좋아하지 않는 학생은 몇 명인지 구하시오.

풀이

답 ________________

□명
귤 사과
80명
38명

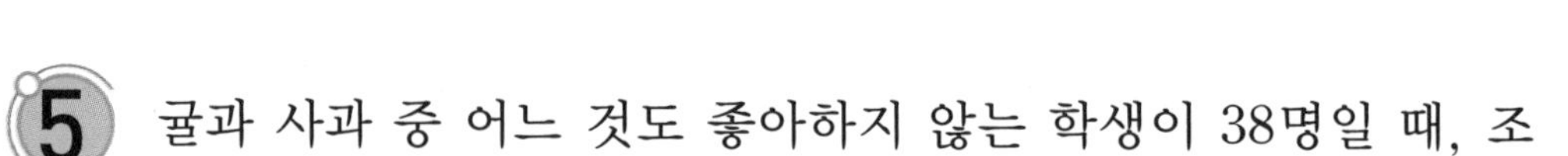

5 귤과 사과 중 어느 것도 좋아하지 않는 학생이 38명일 때, 조사한 학생은 몇 명인지 구하시오.

풀이

답 ________________

□명
귤 사과
80명
△명

6 귤 또는 사과를 좋아하는 학생 수가 귤과 사과 중 어느 것도 좋아하지 않는 학생 수와 같아졌을 때, 조사한 학생은 몇 명인지 구하시오.

풀이

답 ________________

어느 산촌의 한 마을 50가구를 대상으로 사과나무와 복숭아나무를 재배하는 가구를 조사하였더니, 사과나무를 재배하는 가구가 21가구, 복숭아나무를 재배하는 가구가 몇 가구였습니다. 또, 사과나무와 복숭아나무를 모두 재배하는 가구가 3가구였습니다. 물음에 답하시오. (1～3)

1 사과나무와 복숭아나무 어느 것도 재배하지 않는 가구가 10가구일 때, 복숭아나무만 재배하는 가구는 몇 가구인지 구하시오.

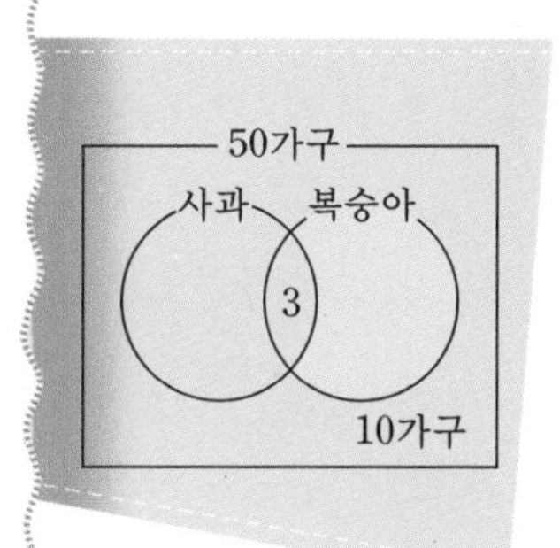

답 ________________

2 복숭아나무를 재배하는 가구가 15가구일 때, 사과나무와 복숭아나무 어느 것도 재배하지 않는 가구는 몇 가구인지 구하시오.

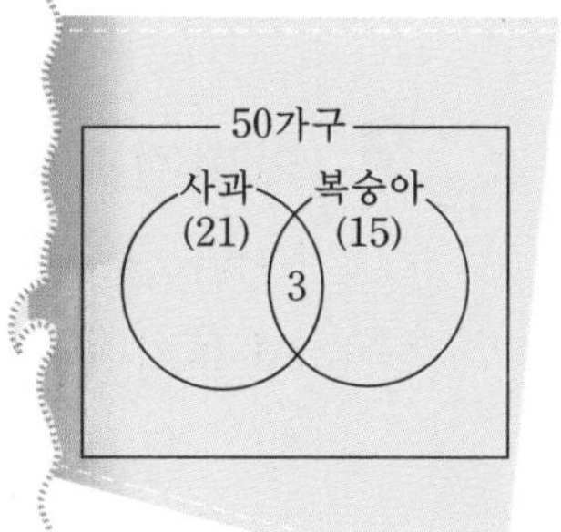

답 ________________

3 복숭아나무를 재배하는 가구 수가 둘 중에 어느 것도 재배하지 않는 가구 수의 3배보다 4가구 더 많다면, 복숭아나무를 재배하는 가구 수는 몇 가구인지 구하시오.

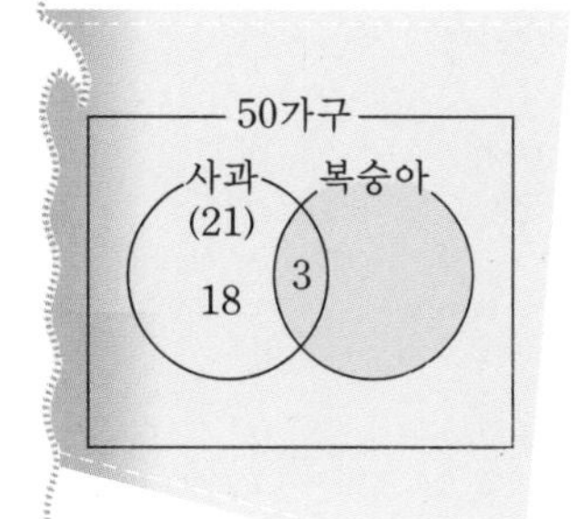

답 ________________

총괄 평가 1회

1 합이 59이고, 차가 25인 두 자연수가 있습니다. 두 자연수의 곱을 구하시오.

풀이

답 ______

2 아버지께서 주신 용돈 5000원을 영수와 동생이 나누어 가졌습니다. 영수가 동생보다 800원 더 가졌다면, 동생은 얼마를 가졌는지 구하시오.

풀이

답 ______

3 가영이는 처음에 가지고 있던 돈과 아버지께 받은 1000원을 합하여 450원짜리 공책 2권을 샀습니다. 공책을 사고 남은 돈이 3100원이었다면, 가영이가 처음에 가지고 있던 돈은 얼마인지 구하시오.

풀이

답 ______

4 무게가 같은 연필 2다스가 들어 있는 필통의 무게는 1kg 230g입니다. 이 필통에서 연필 5자루를 꺼낸 후 다시 무게를 재었더니 1kg 45g이었다면, 필통만의 무게는 몇 g인지 구하시오.

풀이

답 ______

5 각각 두께가 같은 책 6권과 공책 9권을 쌓은 후 높이를 재었더니 19.5cm였고, 같은 책 10권과 공책 13권을 쌓은 후 높이를 재었더니 31.5cm였습니다. 이 책 1권과 공책 1권을 쌓았을 때의 높이는 몇 cm인지 구하시오.

풀이

답 ____________________

6 몇 개의 구슬을 빈틈없이 늘어놓아 정사각형을 만들었습니다. 둘레에 놓인 구슬의 개수가 204개라면, 가장 바깥쪽의 한 변에 놓인 구슬의 개수는 몇 개인지 구하시오.

풀이

답 ____________________

7 길이가 2.21km인 도로의 한쪽에 34m 간격으로 은행나무를 심으려고 합니다. 은행나무는 몇 그루가 필요한지 구하시오. (단, 도로의 처음과 끝에도 은행나무를 심습니다.)

풀이

답 ____________________

8 길이가 918m인 길의 양쪽에 27m 간격으로 가로등을 세우려고 합니다. 준비된 가로등이 62개라면, 가로등은 몇 개가 부족한지 구하시오. (단, 길의 처음과 끝에는 가로등을 세우지 않습니다.)

풀이

답 ____________________

9 다음과 같이 도형을 규칙적으로 늘어놓았습니다. 도형을 615개 늘어놓았을 때, 사각형은 몇 개 있는지 구하시오.

■■▲■▲●■■▲■▲●■■▲…

풀이

답 ______________

10 어느 식물원의 5일 동안 입장객 수를 조사하여 나타낸 표입니다. 수요일의 입장객 수는 몇 명인지 구하시오.

식물원의 입장객 수

요일	월	화	수	목	금	평균
입장객 수(명)	52	48		40	50	45

풀이

답 ______________

11 한초의 국어, 사회, 과학 세 과목의 평균 점수는 84점입니다. 수학 시험에서 몇 점을 받아야 네 과목의 평균 점수가 88점이 되는지 구하시오.

풀이

답 ______________

12 올해 선생님의 연세는 38세이고, 가영이의 나이는 11살입니다. 선생님의 연세가 가영이의 나이의 4배가 되었던 것은 올해부터 몇 년 전인지 구하시오.

풀이

답 ______________

13 기름탱크 가와 나에 각각 1800L, 1350L의 기름이 들어 있었습니다. 가에서 나로 15분 동안 기름을 옮겨 넣었더니 두 기름탱크의 기름의 양이 같아졌습니다. 매분 몇 L씩 옮겨 넣은 셈인지 구하시오.

풀이

답 ____________

14 율기와 영수는 각각 4000원, 3200원을 가지고 있었습니다. 율기가 영수에게 얼마를 주고 나니 오히려 영수가 율기보다 1000원이 더 많아졌습니다. 율기는 영수에게 얼마를 준 것인지 구하시오.

풀이

답 ____________

15 어떤 열차가 매초 22m의 빠르기로 1100m 길이의 다리를 완전히 통과하는데 57초가 걸렸습니다. 이 열차의 길이는 몇 m인지 구하시오.

풀이

답 ____________

16 구슬을 몇 사람에게 나누어 주려고 합니다. 한 사람당 5개씩 나누어 주면 6개가 남고, 8개씩 나누어 주려면 12개가 부족하다고 합니다. 사람 수와 구슬 수를 각각 구하시오.

풀이

답 ____________

17 긴 의자가 몇 개 있습니다. 이 의자에 어떤 학년 전체를 앉게 하려고 합니다. 의자 한 개에 7명씩 앉으려면 의자가 꼭 3개 부족하고, 10명씩 앉으면 의자는 꼭 6개가 남는다고 합니다. 의자 수와 학생 수를 각각 구하시오.

풀이

답 ______________________

18 동민이네 반 전체 학생의 $\frac{8}{11}$은 안경을 썼습니다. 안경을 쓰지 않은 학생이 9명이라면, 동민이네 반 학생 수는 몇 명인지 구하시오.

풀이

답 ______________________

19 강아지와 병아리가 합하여 22마리 있습니다. 다리 수를 세어 보니 모두 68개였습니다. 병아리는 몇 마리인지 구하시오.

풀이

답 ______________________

20 연필 5다스를 한초와 효근이가 나누어 가졌습니다. 한초가 가진 연필이 효근이가 가진 연필 수의 2배였다면, 한초가 가진 연필은 몇 자루인지 구하시오.

풀이

답 ______________________

총괄 평가 2회

1 직사각형 모양의 화단의 둘레는 84m입니다. 화단의 가로의 길이가 세로의 길이보다 18m 더 길 때, 가로의 길이는 몇 m인지 구하시오.

풀이

답 ____________

2 어떤 수에 27을 더한 후 9로 나누었더니 105가 되었습니다. 어떤 수는 얼마인지 구하시오.

풀이

답 ____________

3 가영이는 오늘 1100원을 저금하였습니다. 오늘 저금한 돈은 어제까지 저금한 돈의 4배보다 500원이 적다고 합니다. 가영이가 오늘까지 저금한 돈은 모두 얼마인지 구하시오.

풀이

답 ____________

4 노란색 테이프 1개와 파란색 테이프 1개를 겹쳐지는 부분 없이 이었을 때의 길이는 $\frac{5}{6}$m이고, 같은 노란색 테이프 2개와 파란색 테이프 3개를 겹쳐지는 부분 없이 이었을 때의 길이는 2m입니다. 이 노란색 테이프 1개와 파란색 테이프 2개를 겹쳐지는 부분 없이 이었을 때의 길이는 몇 m인지 구하시오.

풀이

답 ____________

5 100원짜리 동전을 가로와 세로에 49개씩 빈틈없이 늘어놓아 정사각형을 만들었습니다. 정사각형의 둘레에 놓인 동전은 모두 몇 개인지 구하시오.

풀이

답 ______________

6 정사각형 모양의 우표를 가로와 세로에 36장씩 빈틈없이 늘어놓아 정사각형을 만들었습니다. 이 정사각형의 둘레를 한 번 더 에워쌀 때, 우표는 몇 장이 더 필요한지 구하시오.

풀이

답 ______________

7 둘레가 520m인 운동장 트랙을 따라 32개의 깃발을 꽂으려고 합니다. 깃발은 몇 m 몇 cm 간격으로 꽂아야 하는지 구하시오.

풀이

답 ______________

8 다음과 같이 수를 규칙적으로 늘어놓았습니다. 339째 번에 올 수는 무엇인지 구하시오.

1, 7, 2, 6, 3, 5, 4, 1, 7, 2, 6, 3, 5, 4, 1, 7, ⋯

풀이

답 ______________

9 17÷22를 소수로 나타내려고 합니다. 소수점 아래 215째 자리의 숫자는 무엇인지 구하시오.

답 ____________

10 예슬이는 4일 동안 8시간 15분을 공부하였고, 이 후 7일 동안 16시간 30분을 공부하였습니다. 예슬이는 하루 평균 몇 시간 몇 분씩 공부한 셈인지 구하시오.

답 ____________

11 지금 동민이는 색연필을 50자루, 영수는 26자루를 갖고 있습니다. 두 사람이 색연필을 한 달에 한 자루씩 써 왔다면 동민이의 색연필의 개수가 영수의 색연필의 개수의 4배가 되는 것은 몇 달 후인지 구하시오.

답 ____________

12 올해 용희와 동생의 나이의 합은 28살이고, 나이의 차는 8살입니다. 용희의 나이가 동생의 나이의 3배가 되었던 것은 몇 년 전인지 구하시오.

답 ____________

13 예슬이와 한별이는 같은 금액을 내어 카드 40장을 샀습니다. 예슬이가 한별이보다 6장을 더 갖는 대신에 한별이에게 300원을 주었습니다. 예슬이와 한별이가 처음에 얼마씩 내었는지 구하시오.

풀이

답 ________

14 길이가 8m인 버스가 있습니다. 이 버스는 1초에 12m의 빠르기로 도로를 달리고 있습니다. 얼마 후에 어떤 터널을 완전히 통과하는 데 44초가 걸렸다면 이 터널의 길이는 몇 m인지 구하시오.

풀이

답 ________

15 길이가 100m인 열차가 매초 20m의 빠르기로 어떤 터널을 완전히 통과하는 데 50초가 걸렸습니다. 길이가 156m인 다른 열차가 매초 24m의 빠르기로 이 터널을 완전히 통과하려면 몇 초가 걸리는지 구하시오.

풀이

답 ________

16 지우개를 한 사람에게 6개씩 나누어 주면 22개가 남고, 8개씩 나누어 주면 12개가 남습니다. 지우개는 몇 개가 있는지 구하시오.

풀이

답 ________

17 한별이가 가지고 있던 리본의 $\frac{4}{7}$를 잘라서 상자를 묶었습니다. 사용한 리본의 길이가 260cm이면, 처음에 가지고 있던 리본의 길이는 몇 cm인지 구하시오.

풀이

답 ________________

18 어떤 수의 $\frac{10}{13}$은 80입니다. 어떤 수의 $\frac{5}{8}$는 얼마인지 구하시오.

풀이

답 ________________

19 커다란 물탱크에 굵기가 같은 2개의 수도관으로 5시간 동안 20t의 물을 넣을 수 있습니다. 이와 같은 수도관 6개를 사용하여 6시간 동안 넣을 수 있는 물의 양은 몇 t인지 구하시오.

풀이

답 ________________

20 40명의 학생을 대상으로 축구와 야구를 좋아하는 학생 수를 조사하였습니다. 축구를 좋아하는 학생은 25명, 야구를 좋아하는 학생은 34명이었습니다. 축구도 야구도 좋아하지 않는 학생이 3명이라면, 축구와 야구를 모두 좋아하는 학생은 몇 명인지 구하시오.

풀이

답 ________________

Memo

Memo

Memo

꼭 알아야 할
수학 문장제
!

5학년이 꼭 알아야 할

www.eduwang.com

정답과 풀이

정답과 풀이

5 학년

1 합과 차를 이용하여 해결하기

확인문제 p.4

1 4500, 900　　2 2700원

동메달 따기 p. 5 ~ 6

1 27m　　2 17명
3 110cm　　4 693
5 3800원　　6 88점

1 직사각형 모양의 화단의 둘레가 100m이면, 가로와 세로의 길이의 합은 $100 \div 2 = 50$(m)입니다. 가로와 세로의 길이를 각각 선분으로 나타내어 보면

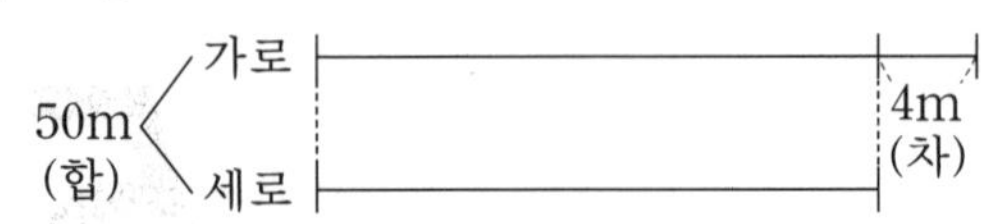

따라서, 가로의 길이는 $(50+4) \div 2 = 27$(m)입니다.

2 안경을 쓴 학생과 안경을 쓰지 않은 학생 수를 각각 선분으로 나타내어 보면

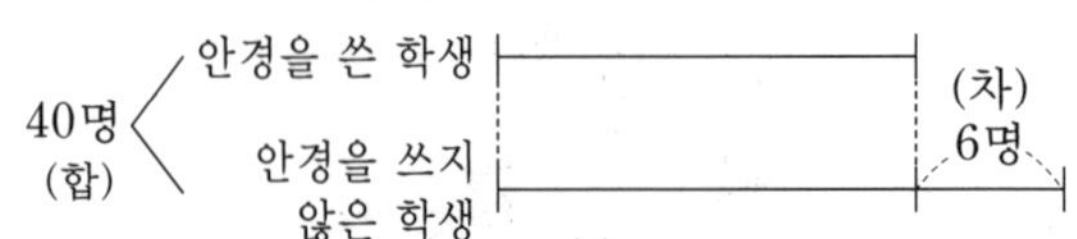

따라서, 안경을 쓴 학생은 $(40-6) \div 2 = 17$(명)입니다.

3 1.8m ➡ 180cm이므로 긴 도막과 짧은 도막의 길이를 각각 선분으로 나타내어 보면

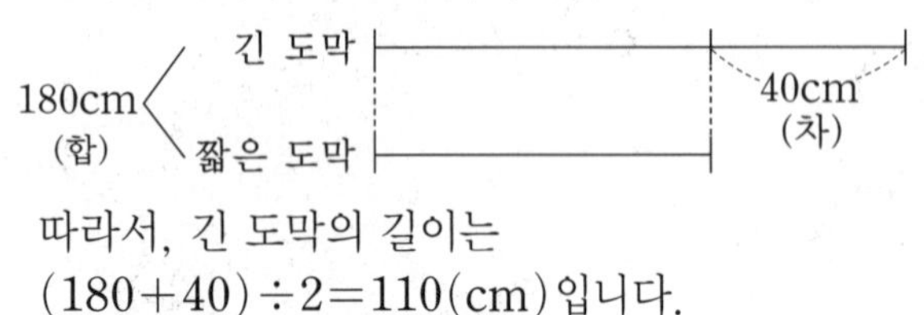

따라서, 긴 도막의 길이는
$(180+40) \div 2 = 110$(cm)입니다.

4 두 자연수를 각각 선분으로 나타내어 보면

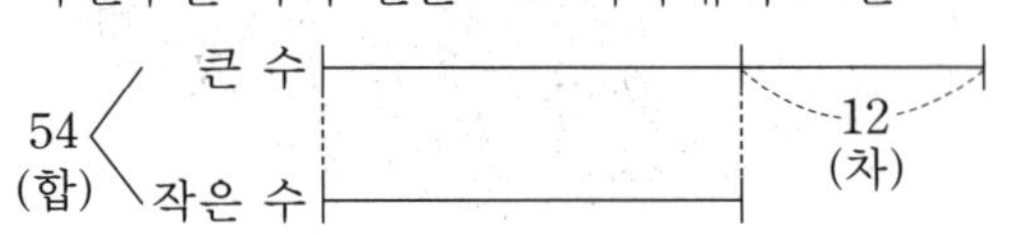

큰 수는 $(54+12) \div 2 = 33$이고, 작은 수는 $54-33=21$입니다.
따라서, 두 수의 곱은 $33 \times 21 = 693$입니다.

5 영수가 가진 돈과 동생이 가진 돈을 각각 선분으로 나타내어 보면

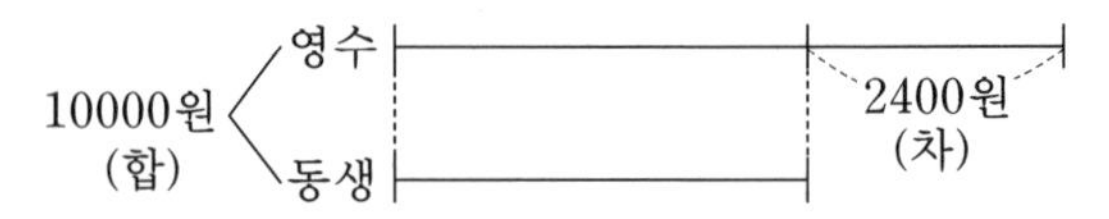

따라서, 동생은 $(10000-2400) \div 2 = 3800$(원)을 가졌습니다.

6 영수가 맞힌 문제와 틀린 문제의 수를 각각 선분으로 나타내어 보면

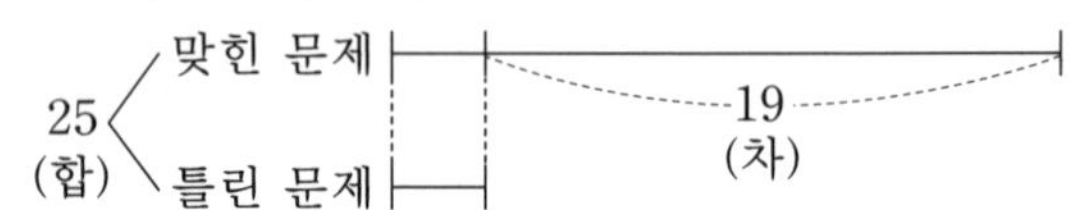

따라서 영수가 맞힌 문제는
$(25+19) \div 2 = 22$(개)이고, 이 수학 문제는 한 문제당 4점씩이므로 영수의 수학 점수는
$22 \times 4 = 88$(점)입니다.

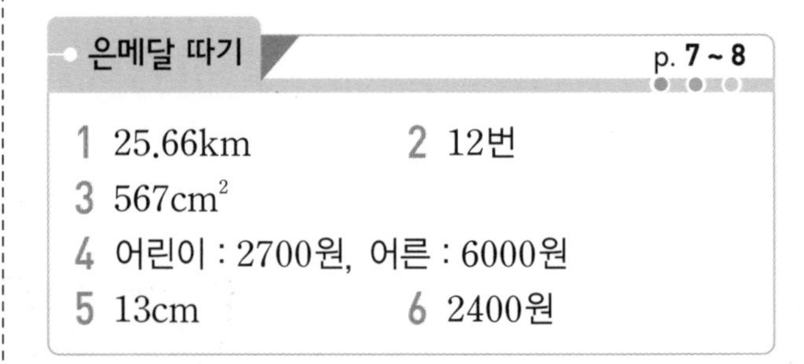

은메달 따기 p. 7 ~ 8

1 25.66km　　2 12번
3 567cm^2
4 어린이 : 2700원, 어른 : 6000원
5 13cm　　6 2400원

1

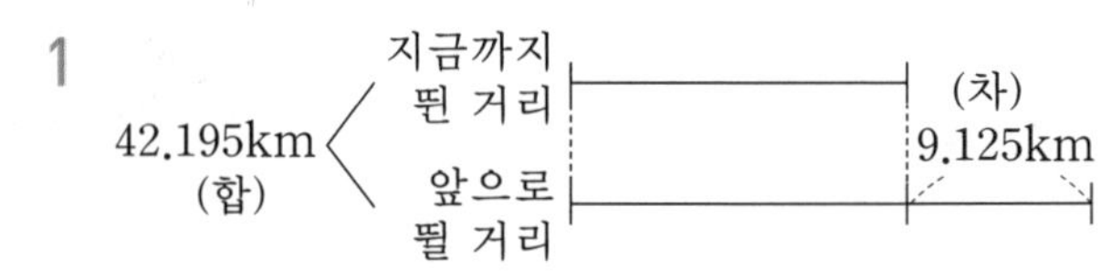

따라서, 율기가 앞으로 뛰어야 할 거리는
$(42.195+9.125) \div 2 = 25.66$(km)입니다.

2 규형이와 동민이가 가위바위보를 해서 이긴 횟수를 각각 선분으로 나타내어 보면

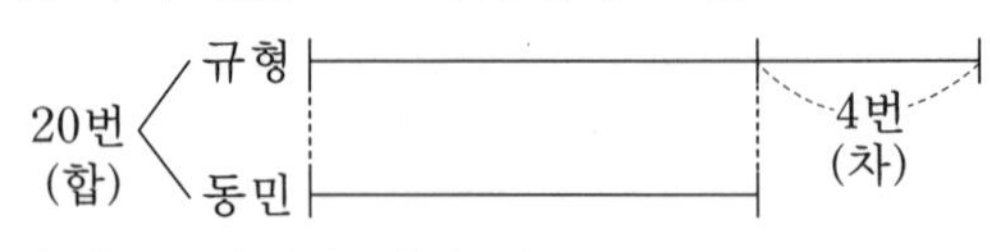

따라서, 규형이가 이긴 횟수는
$(20+4) \div 2 = 12$(번)입니다.

3 둘레가 96cm이므로 가로와 세로의 길이의 합은 $96 \div 2 = 48$(cm)입니다. 가로와 세로의 길이를 각각 선분으로 나타내어 보면

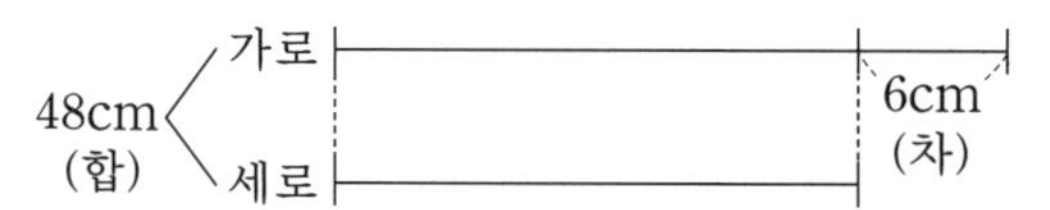

가로의 길이는 $(48+6) \div 2 = 27$(cm), 세로의 길이는 $48-27=21$(cm)입니다.
따라서, 이 직사각형의 넓이는
$27 \times 21 = 567(\text{cm}^2)$입니다.

4 어른 1명과 어린이 1명의 입장료는 $17400 \div 2 = 8700$(원)입니다. 어른과 어린이의 입장료를 각각 선분으로 나타내어 보면

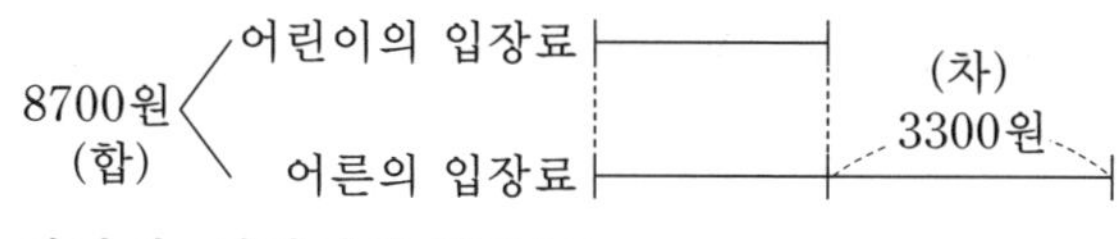

따라서, 어린이의 입장료는
$(8700-3300) \div 2 = 2700$(원)이고, 어른의 입장료는 $8700-2700=6000$(원)입니다.

5 분홍색 테이프 1개의 길이와 보라색 테이프 1개의 길이의 합은 $150 \div 3 = 50$(cm)입니다.

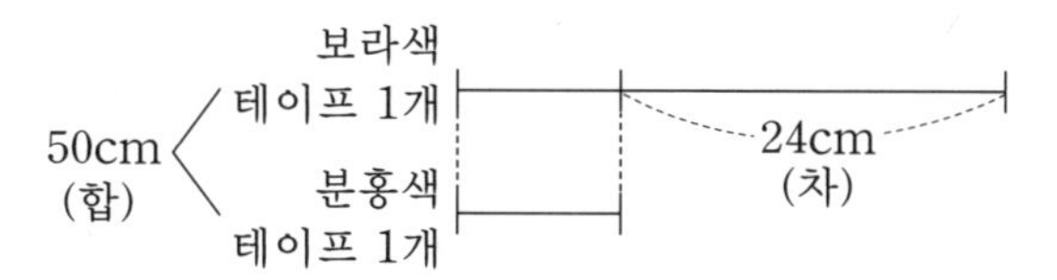

따라서, 분홍색 테이프 1개의 길이는
$50-24 \div 2 = 13$(cm)입니다.

6 붓과 벼루 1세트의 가격은 $24000 \div 4 = 6000$(원)입니다.

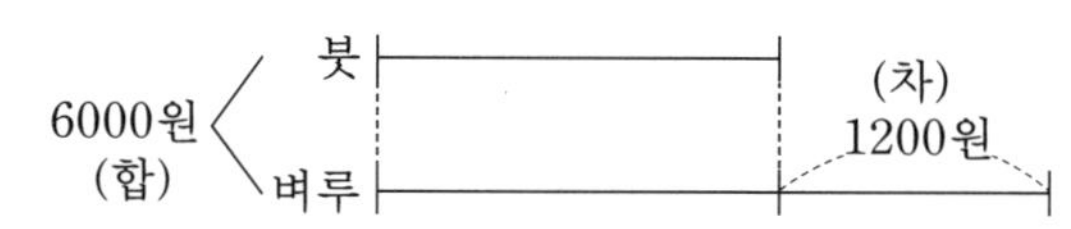

따라서, 붓 1자루의 가격은
$(6000-1200) \div 2 = 2400$(원)입니다.

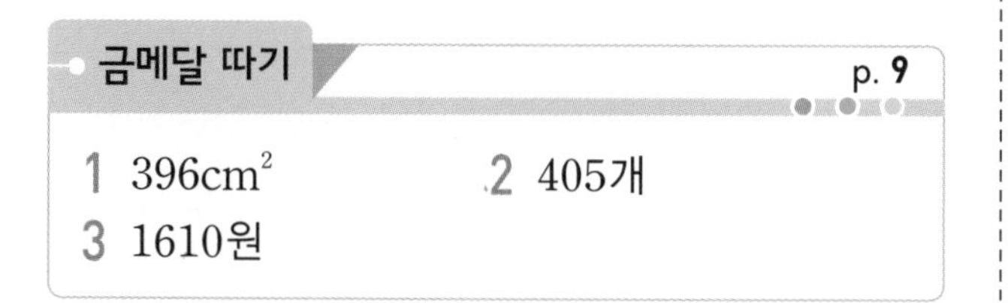

금메달 따기 p. 9

1 396cm² 2 405개
3 1610원

1 직사각형 모양 1개의 가로와 세로의 길이의 합은 $320 \div 4 \div 2 = 40$(cm)입니다.

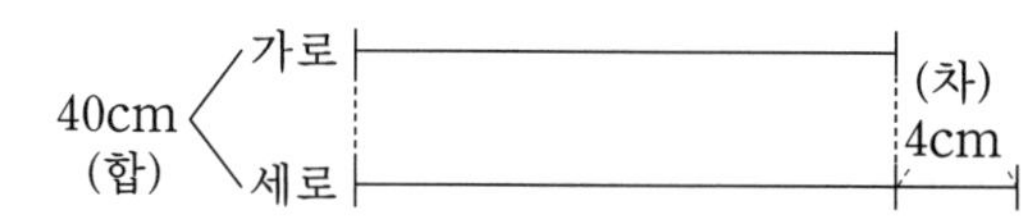

따라서, 가로의 길이는 $(40-4) \div 2 = 18$(cm), 세로의 길이는 $40-18=22$(cm)이므로 이 직사각형 모양의 넓이는
$18 \times 22 = 396(\text{cm}^2)$입니다.

2

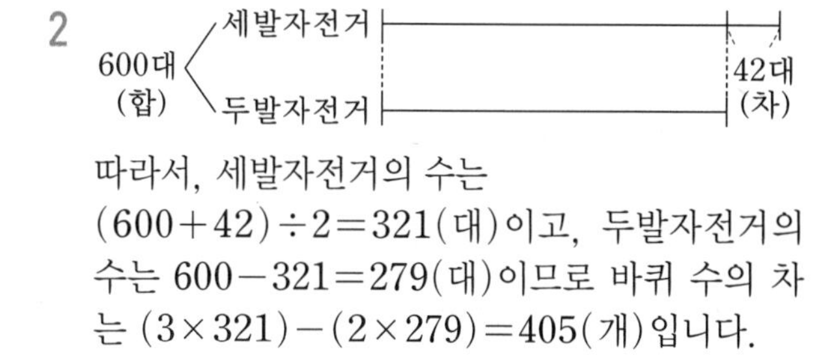

따라서, 세발자전거의 수는
$(600+42) \div 2 = 321$(대)이고, 두발자전거의 수는 $600-321=279$(대)이므로 바퀴 수의 차는 $(3 \times 321)-(2 \times 279)=405$(개)입니다.

3 100원짜리 동전의 개수는 $40-31=9$(개)입니다. 10원짜리와 50원짜리 동전의 개수를 각각 선분으로 나타내어 보면

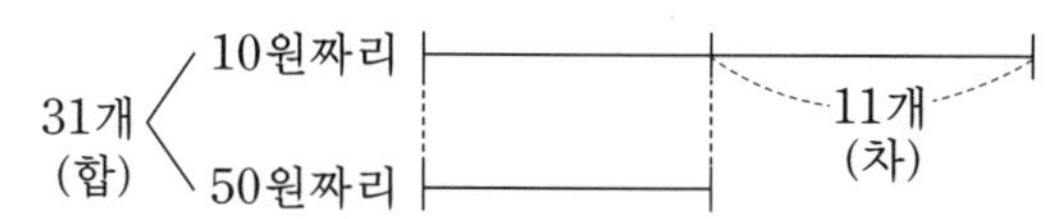

10원짜리 동전의 개수는
$(31+11) \div 2 = 21$(개), 50원짜리 동전의 개수는 $31-21=10$(개)입니다.
따라서, 주머니 안에 들어 있는 돈은
$10 \times 21 + 50 \times 10 + 100 \times 9 = 1610$(원)입니다.

2 거꾸로 생각하여 해결하기

확인문제 p. 10

1 $\frac{3}{4}$, $\frac{1}{4}$ 2 3000원
3 12000원

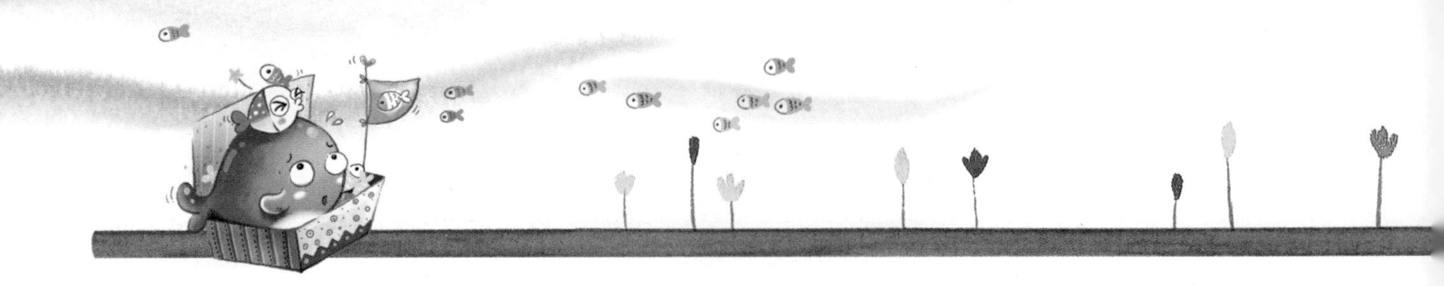

동메달 따기 p. 11 ~ 12

1 84	2 3000원
3 44	4 750원
5 180개	6 53kg

1 문제를 그림으로 나타내면

㉮ (+70 →, ← −70) ㉯ (÷7 →, ← ×7) 22

㉯에 들어갈 수는 $22\times7=154$, ㉮에 들어갈 수는 $154-70=84$입니다.
따라서, 어떤 수는 84입니다.

2 문제를 그림으로 나타내면

㉮ (−970 →, ← +970) ㉯ (−1500 →, ← +1500) 530

㉯에 들어갈 수는 $530+1500=2030$, ㉮에 들어갈 수는 $2030+970=3000$입니다.
따라서, 규형이가 지난 주에 받은 용돈은 3000원입니다.

3 어떤 수를 □라 하고, 문제를 식으로 나타내면 $\square\div72=12\cdots38$이므로 검산식을 이용하여 어떤 수를 구하면 $\square=72\times12+38=902$입니다.
따라서, 바르게 계산하면 $902\div27=33\cdots11$이므로 몫과 나머지의 합은 $33+11=44$입니다.

4 350원짜리 공책 3권의 값은
$350\times3=1050$(원)입니다. 문제를 그림으로 나타내면

㉮ (+1500 →, ← −1500) ㉯ (−1050 →, ← +1050) 1200

㉯에 들어갈 수는 $1200+1050=2250$, ㉮에 들어갈 수는 $2250-1500=750$입니다. 따라서, 지혜가 처음에 가지고 있던 돈은 750원입니다.

5 문제를 그림으로 나타내면

㉮ (÷12 →, ← ×12) ㉯ (÷5 →, ← ×5) 3

㉯에 들어갈 수는 $3\times5=15$, ㉮에 들어갈 수는 $15\times12=180$입니다.
따라서, 선생님께서 처음에 가지고 계셨던 사탕의 개수는 180개입니다.

6 문제를 그림으로 나타내면

어머니 (−19 →, ← +19) 동민이 (×2 →, ← ÷2) 아버지 68kg

동민이의 몸무게는 $68\div2=34$(kg)입니다.
따라서, 어머니의 몸무게는 $34+19=53$(kg)입니다.

은메달 따기 p. 13 ~ 14

1 5권	2 2900원
3 3통	4 4400원
5 2000원	6 40cm

1 문제를 그림으로 나타내면

㉮ (×500 →, ← ÷500) ㉯ (+600 →, ← −600) ㉰ (+1900 →, ← −1900) 5000

㉰에 들어갈 수는 $5000-1900=3100$, ㉯에 들어갈 수는 $3100-600=2500$, ㉮에 들어갈 수는 $2500\div500=5$입니다. 따라서, 율기가 산 500원짜리 공책은 5권입니다.

2 문제를 그림으로 나타내면

㉮ (×2 →, ← ÷2) ㉯ (+200 →, ← −200) 2000

㉯에 들어갈 수는 $2000-200=1800$, ㉮에 들어갈 수는 $1800\div2=900$입니다. 따라서, 가영이가 어제까지 저금한 돈은 900원이므로 오늘까지 저금한 돈은 모두 $900+2000=2900$(원)입니다.

3 어머니께서 사오신 우유는 모두
$500\times6=3000$(mL)입니다. 또한, 한초가 마신 우유는 한 통의 $\frac{1}{2}$이므로 $500\times\frac{1}{2}=250$(mL)입니다.

삼촌에게 드린 우유의 양을 □mL라 하고, 문제를 그림으로 나타내면

3000 —(−□)→ ㉮ —(−250)→ 1250
3000 ←(+□)— ㉮ ←(+250)— 1250

㉮에 들어갈 수는 1250+250=1500,
□=3000−1500=1500이므로 삼촌에게 드린 우유는 1500÷500=3(통)입니다.

4 카드를 사기 전 석기가 가지고 있었던 돈은 1500+1200=2700(원)이고, 저축을 하기 전 석기의 돈은 2700×2=5400(원)입니다.
따라서, 아버지께서 주신 용돈은
5400−1000=4400(원)입니다.

5 문방구점에서 돈을 쓰기 전 한초의 돈은 500×2=1000(원)이고, 서점에서 돈을 쓰기 전 한초의 돈은 1000×2=2000(원)입니다.
따라서, 처음에 한초가 가지고 있던 돈은 2000원입니다.

6 영수가 남긴 철사의 길이는 10+6=16(cm)입니다. 16cm는 철사 길이의 $1-\frac{3}{5}=\frac{2}{5}$이므로,
영수가 처음에 가지고 있던 철사의 길이는
16÷2×5=40(cm)입니다.

금메달 따기 p. 15

1 8시간　　2 810원
3 9600원

1 어떤 수의 $\frac{2}{7}$가 4이면, 어떤 수는
4÷2×7=14이므로 영수가 공부를 하고 남은 시간은 14시간입니다. 이 때, 14시간은 잠을 자고 난 나머지의 $\frac{7}{8}$이므로 영수가 잠을 자고 남은 시간은 14÷7×8=16(시간)입니다.
따라서, 영수가 하루 중 잠을 자는 시간은
24−16=8(시간)입니다.

2 셋째 번 가게에서 돈을 쓰기 전은
240÷2×3=360(원)이고, 둘째 번 가게에서 돈을 쓰기 전은 360÷2×3=540(원)이고, 첫째 번 가게에서 돈을 쓰기 전은
540÷2×3=810(원)입니다. 따라서, 율기가 처음에 가지고 있던 돈은 810원입니다.

3

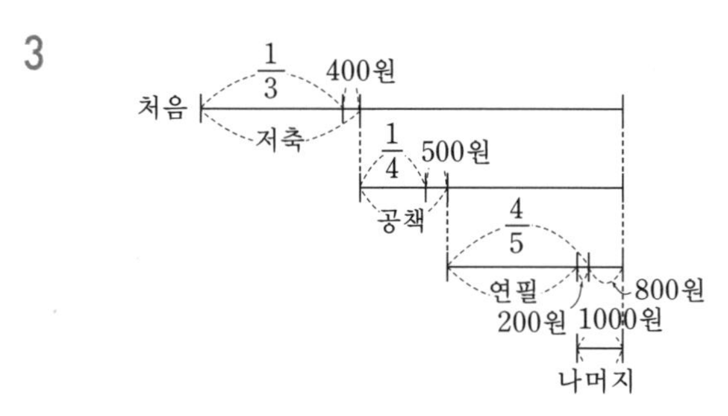

선분도에서 볼 때, 연필을 사기 전은
800×5=4000(원), 공책을 사기 전은
(4000+500)÷3×4=6000(원), 저축을 하기 전은 (6000+400)÷2×3=9600(원)이므로, 예슬이가 처음에 가지고 있던 돈은 9600원입니다.

3 한쪽을 지워서 해결하기

확인문제 p. 16

1 감자 3kg만큼의 차이가 있습니다
2 7200원

2 감자 3kg의 값이 16200−11700=4500(원)이므로 고구마 4kg의 값은
11700−4500=7200(원)입니다.

동메달 따기 p. 17 ~ 18

1 $2200cm^2$　　2 $2\frac{1}{3}$kg
3 $1\frac{5}{14}$m　　4 290g
5 120g　　6 3150원

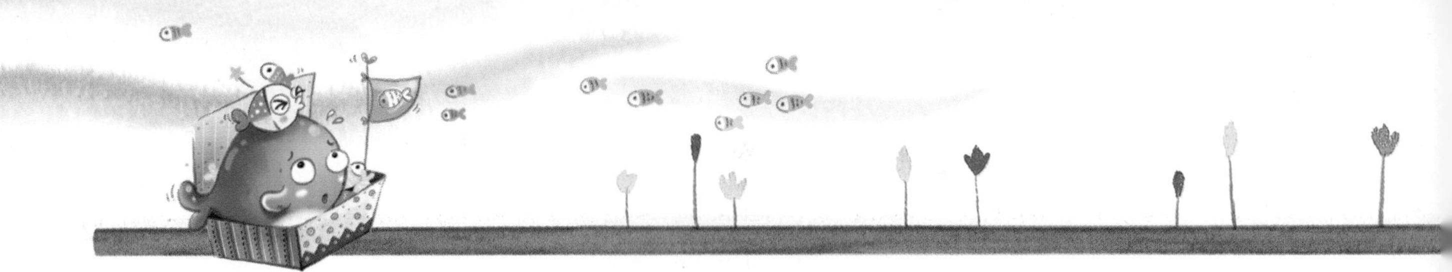

1 책상 2개와 의자 3개는 책상 3개와 의자 3개와의 관계에서 책상 1개만큼의 차이가 납니다.
따라서, 책상 1개를 만드는 데 사용되는 합판의 넓이는 $11400-9200=2200(cm^2)$입니다.

2 복숭아 통조림 1개와 파인애플 통조림 1개의 무게만큼 차이가 납니다.
따라서, 복숭아 통조림 1개와 파인애플 통조림 1개의 무게의 합은

$8\frac{1}{2}-6\frac{1}{6}=8\frac{3}{6}-6\frac{1}{6}=2\frac{2}{6}=2\frac{1}{3}$(kg)입니다.

3 노란색 테이프 1개와 파란색 테이프 1개는 노란색 테이프 2개와 파란색 테이프 3개와의 관계에서 노란색 테이프 1개와 파란색 테이프 2개만큼의 차이가 납니다.
따라서, 노란색 테이프 1개와 파란색 테이프 2개를 겹치는 부분 없이 이었을 때의 길이는

$2\frac{1}{7}-\frac{11}{14}=1\frac{16}{14}-\frac{11}{14}=1\frac{5}{14}$(m)입니다.

4 연필 1다스는 12자루이므로 연필 3자루를 꺼내면, 연필 9자루와 필통의 무게가 515g입니다. 연필 1다스와 필통은 연필 9자루와 필통과의 관계에서 연필 3자루만큼의 차이가 나므로 연필 3자루의 무게는 $590-515=75$(g)입니다.
따라서, 연필 1자루의 무게는 $75\div3=25$(g)이고, (필통만의 무게)=(연필 9자루와 필통의 무게)−(연필만의 무게)이므로
$515-9\times25=290$(g)입니다.

5 구슬 30개를 넣은 통과 구슬 50개를 넣은 통은 구슬 20개만큼의 차이가 나므로 구슬 20개의 무게는 $1350-870=480$(g)입니다.
따라서, 구슬 1개의 무게는 $480\div20=24$(g)이고, 구슬 5개의 무게는 $24\times5=120$(g)입니다.

6 컴퍼스 3개의 값이 3000원이므로 컴퍼스 6개의 값은 $3000\times2=6000$(원)입니다.
자 5개의 값이 $8250-6000=2250$(원)이므로 자 7개를 사려면 $2250\div5\times7=3150$(원)이 필요합니다.

은메달 따기 p. 19 ~ 20

1 1.42kg	2 250g
3 3000원	4 0.79kg
5 11kg 250g	6 600원

1 사과 46개가 들어 있는 상자와 처음 사과 수의 $\frac{1}{2}$을 먹고 난 후의 상자는 처음 사과 수의 $\frac{1}{2}$만큼의 차이가 나므로 처음 사과 수의 $\frac{1}{2}$의 무게는
$10.62-6.02=4.6$(kg)입니다.
따라서, 사과 46개의 무게는 $4.6\times2=9.2$(kg)이므로 상자만의 무게는
$10.62-9.2=1.42$(kg)입니다.

2 석회수의 $\frac{1}{3}$에 해당하는 무게는
$1090-810=280$(g)이므로 처음 병에 들어 있던 석회수만의 무게는 $280\times3=840$(g)입니다.
따라서, 병만의 무게는 $1090-840=250$(g)입니다.

3 토마토 1개의 값은
$(24850-16450)\div21=400$(원)이고, 귤 1개의 값은 $(16450-400\times28)\div35=150$(원)입니다. 따라서, 귤 4개와 토마토 6개의 가격의 합은 $150\times4+400\times6=3000$(원)입니다.

4 배 9개가 들어 있는 바구니와 배 4개가 들어 있는 바구니는 배 5개만큼의 차이가 나므로 배 1개의 무게는 $(6.46-3.31)\div5=0.63$(kg)입니다.
따라서, 빈 바구니만의 무게는
$6.46-0.63\times9=0.79$(kg)입니다.

5 (병 26개가 들어 있는 상자의 무게)−(상자만의 무게)=(병 26개의 무게)이므로 병 26개의 무게는

$$21\frac{1}{10}-1\frac{3}{5}=21\frac{1}{10}-1\frac{6}{10}=20\frac{11}{10}-1\frac{6}{10}=19\frac{1}{2}\text{(kg)}$$
입니다.

$19\frac{1}{2}$kg은 19500g이므로 병 1개의 무게는 19500÷26=750(g), 병 15개의 무게는 750×15=11250(g)입니다. 따라서, 병 15개의 무게는 11kg 250g입니다.

6 호떡 1개와 도넛 1개의 값은 2200÷2=1100(원)이므로 호떡 1개의 값은 (1100+100)÷2=600(원)입니다.

금메달 따기

p. 21

1 1.28cm
2 노란 구슬 : 9g, 파란 구슬 : 10.5g
3 지우개 : 300원, 연필 : 450원, 공책 : 550원

1 책 4권의 높이가 14.98−11.86=3.12(cm)이므로 책 1권의 높이는 3.12÷4=0.78(cm)입니다. 책 16권의 높이가 0.78×16=12.48(cm)이므로 공책 5권의 높이는 14.98−12.48=2.5(cm)이고, 공책 1권의 높이는 2.5÷5=0.5(cm)입니다. 따라서, 책 1권과 공책 1권을 쌓았을 때의 높이는 0.78+0.5=1.28(cm)입니다.

2 파란 구슬 1개는 노란 구슬 1개보다 1.5g 무거운 셈이므로, 파란 구슬 6개는 노란 구슬 6개보다 1.5×6=9(g) 무거운 셈입니다.
따라서, (노란 구슬 8개의 무게)+9=81(g)이므로 노란 구슬 1개의 무게는
(81−9)÷8=9(g)이고, 파란 구슬 1개의 무게는 9+1.5=10.5(g)입니다.

3 (지우개+연필)=750, (연필+공책)=1000, (지우개+공책)=850이므로
2×(지우개+연필+공책)
=750+1000+850=2600(원)입니다.
따라서,
(지우개+연필+공책)=2600÷2 =1300(원)이므로
(지우개의 값)=1300−1000=300(원),
(연필의 값)=1300−850=450(원),
(공책의 값)=1300−750=550(원)입니다.

4 바둑돌 늘어놓기 유형 해결하기

확인문제

p. 22

1 484개　　2 21개
3 84개

1 22×22=484(개)

2 한 묶음에는 한 변에 놓인 구슬의 수보다 1개 더 적은 구슬이 들어 있습니다.

3 (둘레의 개수)
={(한 변의 개수)−1}×4
=(22−1)×4=21×4
=84(개)

동메달 따기

p. 23 ~ 24

1 37개　　2 96개
3 128개　　4 28개
5 289개　　6 94개

1 (지우개 전체의 개수)=(가로에 놓인 지우개의 개수)×(세로에 놓인 지우개의 개수)입니다.
따라서, 세로에 놓인 지우개의 개수는 (지우개 전체의 개수)÷(가로에 놓인 지우개의 개수)이므로 1480÷40=37(개)입니다.

2 왼쪽 그림과 같이 둘레에 놓인 바둑돌을 4등분 하여 생각합니다. 따라서, 둘레에 놓인 바둑돌의 개수는
(25−1)×4=96(개)입니다.

3 (33−1)×4=128(개)

4 둘레에 놓인 구슬의 개수를 4묶음으로 생각할 때, 한 묶음에는 108÷4=27(개)가 있습니다.
따라서, 가장 바깥쪽의 한 변에 놓인 구슬은 (108÷4)+1=28(개)입니다.

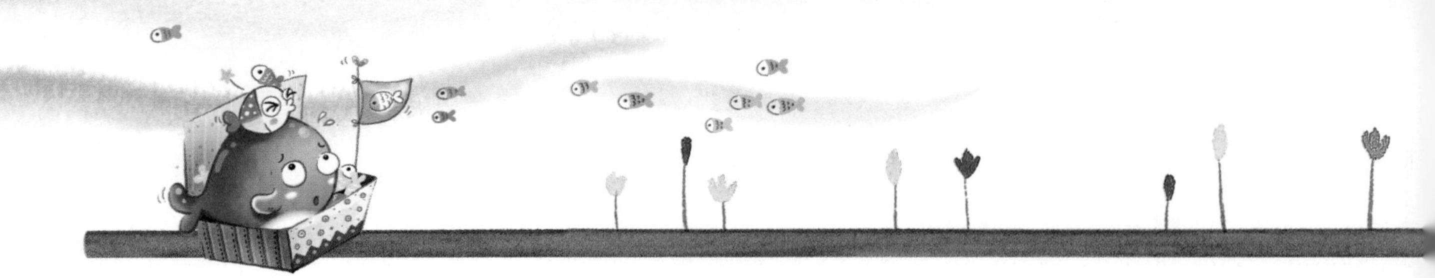

5 (정사각형의 한 변에 놓인 바둑돌의 개수)
$=(64\div4)+1=17$(개)
따라서, 바둑돌은 모두 $17\times17=289$(개)입니다.

6 $\{(35+14)-2\}\times2=94$(개)
별해
$(35+14)\times2-4=98-4$
$=94$(개)

은메달 따기 p. 25 ~ 26

1 256장	2 672개
3 40개	4 112장
5 4050원	6 196개

1 안쪽 정사각형의 한 변에는 노란 색종이가 $18-2=16$(장) 놓여 있으므로 노란 색종이는 모두 $16\times16=256$(장)입니다.
별해
$18\times18-(18-1)\times4=256$(장)

2 안쪽의 모양은 보라색 구슬을 빈틈없이 늘어놓아 만든 직사각형입니다. 이 직사각형의 가로에는 보라색 구슬이 $26-2=24$(개), 세로에는 $30-2=28$(개)가 놓여 있으므로 보라색 구슬은 모두 $24\times28=672$(개)입니다.
별해
$26\times30-\{(26+30)-2\}\times2$
$=780-108$
$=672$(개)

3 같은 수를 곱하여 121이 되는 수는 11입니다. 정사각형의 가장 바깥쪽의 한 변에는 동전이 11개 놓여 있으므로 둘레에는 동전이
$(11-1)\times4=40$(개) 놓여 있습니다.

4 한 번 더 에워싸면 한 변에 놓인 카드가 29장인 정사각형이 되므로 이 정사각형의 둘레에 놓인 카드의 수를 구하면 됩니다.
따라서, $(29-1)\times4=112$(장) 더 필요합니다.
별해 한 번 더 에워쌀 때, 한 변에 카드가 2장씩 더 많아지므로 $(27-1)\times4+2\times4=112$(장)이 더 필요합니다.

5 둘레에 놓인 동전의 개수는
$1600\div50=32$(개)이므로 한 변에 놓인 동전은
$32\div4+1=9$(개)입니다.
따라서, 정사각형을 만드는 데 필요한 동전은
$9\times9=81$(개)이고, 금액은
$81\times50=4050$(원)입니다.

6 같은 수를 곱하여 324가 되는 수는 18이므로 처음 정사각형의 한 변에 놓인 바둑돌은 18개입니다. 18개의 $\frac{7}{9}$을 한 변으로 하는 정사각형의 한 변에 놓이는 바둑돌은 $18\times\frac{7}{9}=14$(개)이므로 바둑돌은 $14\times14=196$(개)가 필요합니다.

금메달 따기 p. 27

1 32000원	2 681장
3 718개	

1 사용된 동전의 개수는
$(21-5)\times5\times4=320$(개)이므로 총 금액은
$320\times100=32000$(원)입니다.

2 가로 한 변, 세로 한 변을 늘리는 데 $56-5=51$(장)이 사용되었습니다. 따라서, 한 변씩 늘려 만든 정사각형의 한 변에 놓이는 우표는 $(51+1)\div2=26$(장)이므로 우표는 모두 $26\times26+5=681$(장)입니다.

3 가로 한 변과 세로 한 변을 늘리는 데 필요한 타일이 $42+11=53$(개)이므로 새로 만들려는 정사각형의 한 변의 타일 수는
$(53+1)\div2=27$(개)입니다.
따라서, 타일은 모두 $27\times27-11=718$(개)입니다.

5 나무심기 유형 해결하기

확인문제 p. 28

1 56개　　2 57개
3 114개

1 $1400 \div 25 = 56$(개)

2 간격이 56개이므로 가로등은 57개 세우게 됩니다.

3 $57 \times 2 = 114$(개)

동메달 따기 p. 29 ~ 30

1 61그루　　2 148개
3 34개　　4 26cm
5 28m 20cm　　6 185m

1 간격의 수는 $2100 \div 35 = 60$(개)입니다.
따라서, 가로수는 $60 + 1 = 61$(그루)가 필요합니다.

2 간격의 수는 $3796 \div 52 = 73$(개)이므로 다리의 한쪽에 세운 가로등은 74개입니다.
따라서, 다리의 양쪽에는 $74 \times 2 = 148$(개)의 가로등을 세웠습니다.

3 0.98km=980m이고, 조명을 설치할 간격의 수는 $980 \div 28 = 35$(개)입니다.
따라서, 조명은 $35 - 1 = 34$(개)가 필요합니다.

4 3m 64cm=364cm이고, 13번 자르면 철사는 14개가 만들어집니다.
따라서, 철사를 $364 \div 14 = 26$(cm) 간격으로 자르면 됩니다.

5 간격의 수는 15개입니다.
따라서, $423 \div 15 = 28.2$(m)이므로
28cm 20m 간격으로 꽂아야 합니다.

6 간격의 수는 25개입니다. 따라서, 연못의 둘레는 $7.4 \times 25 = 185$(m)입니다.

은메달 따기 p. 31 ~ 32

1 1776m　　2 18그루
3 3개　　4 8그루
5 72그루　　6 330000원

1 다리의 한쪽에 세워진 가로등은 $98 \div 2 = 49$(개)이므로 간격은 48개입니다.
따라서, 다리의 길이는 $37 \times 48 = 1776$(m)입니다.

2 첫째 번 나무와 마지막 나무 사이의 거리는 $360 - 10 - 10 = 340$(m)이므로 간격의 수는 $340 \div 20 = 17$(개)입니다.
따라서, 나무는 $17 + 1 = 18$(그루) 필요합니다.

3 간격이 $432 \div 16 = 27$(개)이고, 연못에서 간격의 수와 세워야 할 기둥의 수는 같습니다.
따라서, 연못의 둘레에 기둥을 27개 세워야 하므로 3개 더 필요합니다.

4 간격이 $405 \div 15 = 27$(개)이므로 도로 한쪽에 심는 나무는 $27 - 1 = 26$(그루)입니다.
따라서, 도로의 양쪽에 심는 나무는
$26 \times 2 = 52$(그루)이고, $60 - 52 = 8$(그루)가 남습니다.

5 밤나무는 $528 \div 22 = 24$(그루)가 필요합니다.
밤나무를 24그루 심으면 간격의 수도 24개이므로 장미꽃나무는 $2 \times 24 = 48$(그루)가 필요합니다.
따라서, 나무는 모두 $24 + 48 = 72$(그루)가 필요합니다.

6 1km 935m=1935m입니다.
간격의 수가 $1935 \div 45 = 43$(개)이므로 소나무는 $43 + 1 = 44$(그루)가 필요합니다.
따라서, 소나무 44그루를 사는 데 드는 비용은 $7500 \times 44 = 330000$(원)입니다.

금메달 따기 p. 33

1 17번　　2 40개
3 20cm

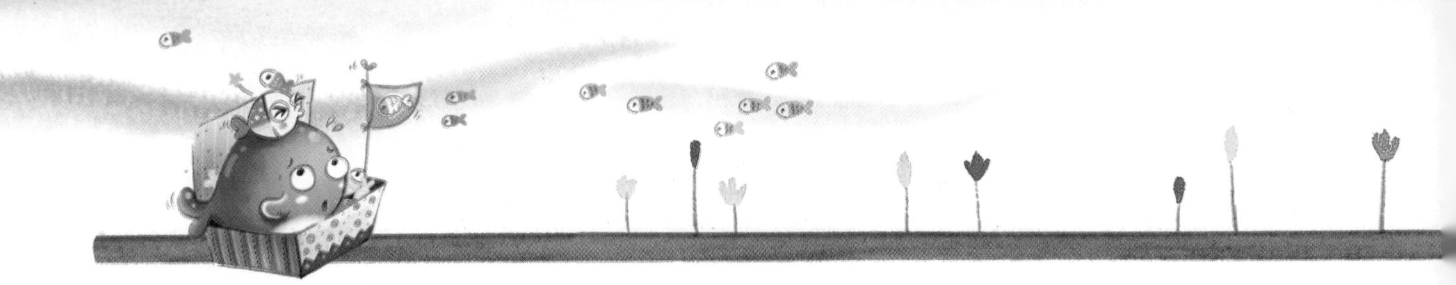

1 길이가 2m 88cm인 색 테이프를 반으로 자르면 하나의 길이는 1m 44cm이고, 1m 44cm짜리 색 테이프를 16cm 간격으로 자르면
$144 \div 16 - 1 = 8$(번) 자르면 됩니다.
따라서, 1m 44cm짜리가 2개이므로 색 테이프는 모두 $1+8+8=17$(번) 자르게 됩니다.

2 만들어진 정사각형의 한 변의 길이는 12cm와 15cm의 최소공배수이므로 60cm입니다. 이 정사각형의 둘레의 길이가 $60 \times 4 = 240$(cm)이므로 간격의 수는 $240 \div 6 = 40$(개)이고, 점의 수는 간격의 수와 같으므로 점은 40개 찍을 수 있습니다.

3 8m 60cm=860cm이고, 간격은
$15+1=16$(개)입니다.
따라서, 간격은
$\{860-(36 \times 15)\} \div 16 = 20$(cm)입니다.

6 규칙적으로 반복되는 유형 해결하기

확인문제 p.34

1 풀이 참조 2 55묶음, 7개
3 223개

1 ●○○●●○●○

2 $447 \div 8 = 55 \cdots 7$
따라서, 55묶음이 되고, 7개가 남습니다.

3 한 묶음 안에 흰색 바둑돌이 4개씩 있습니다.
따라서, $4 \times 55 + 3 = 223$(개)입니다.

동메달 따기 p. 35 ~ 36

1 5 2 175개
3 235장 4 178개
5 토요일 6 수요일

1 반복되는 9, 7, 5, 3, 1, 2, 4를 한 묶음으로 생각하면 $416 \div 7 = 59 \cdots 3$입니다.
따라서, 416째 번 수는 60째 번 묶음의 3번째 수이므로 5입니다.

2 반복되는 부분은 ●○●○●이고, 한 묶음 안에 검은색 바둑돌이 3개 있습니다.
$291 \div 5 = 58 \cdots 1$에서 반복되는 부분은 58묶음이 되고, 검은색 바둑돌 1개가 남습니다.
따라서, 검은색 바둑돌은 $3 \times 58 + 1 = 175$(개)입니다.

3 반복되는 부분은 ■□■■□□이고,
한 묶음 안에 파란색 타일이 2장 있습니다.
$705 \div 6 = 117 \cdots 3$에서 반복되는 부분은 117묶음이 되고, 타일이 3장 남습니다.
따라서, 파란색 타일은 $2 \times 117 + 1 = 235$(장)입니다.

4 반복되는 부분은 ●■▲▲●▲■▲이고, 한 묶음 안에 삼각형이 4개 있습니다.
$357 \div 8 = 44 \cdots 5$에서 반복되는 부분은 44묶음이 되고, 도형이 5개 남습니다.
따라서, 삼각형은 $4 \times 44 + 2 = 178$(개) 있습니다.

5 $51 \div 7 = 7 \cdots 2$이므로 오늘부터 51일 후는 목요일부터 2일 후인 토요일입니다.

6 5월 14일은 2월 14일부터
$14+31+30+14=89$(일) 후이고,
$89 \div 7 = 12 \cdots 5$이므로 5월 14일은 금요일부터 5일 후인 수요일입니다.

은메달 따기 p. 37 ~ 38

1 237개 2 405
3 5 4 8월 31일 수요일
5 월요일 6 목요일

1 반복되는 부분은 ★■★●★★●이고,
한 묶음 안의 ★과 ●는 2개 차이입니다.
$827 \div 7 = 118 \cdots 1$에서 반복되는 부분은 118묶음이 되고, 도형이 1개 남습니다.

따라서, $2\times118+1=237$(개)입니다.

별해

827개 중에서 ☆은 $4\times118+1=473$(개)이고, ○는 $2\times118=236$(개)입니다.
따라서, $473-236=237$(개)입니다.

2 반복되는 1, 3, 2, 4, 3, 3, 3을 한 묶음으로 생각하면 한 묶음 안에 들어 있는 수들의 합은 $1+3+2+4+3+3+3=19$입니다.
또, $150\div7=21\cdots3$이므로 반복되는 부분은 21묶음이고, 3개의 수가 남습니다. 따라서, 150째 번 수까지의 합은
$19\times21+(1+3+2)=405$입니다.

3 $6\div7=0.857142857142\cdots$이므로 반복되는 숫자들은 8, 5, 7, 1, 4, 2입니다.
한 묶음 안에 6개의 숫자가 반복되므로
$176\div6=29\cdots2$에서 소수점 아래 176째 자리의 숫자는 30묶음째의 2번째 수이므로 5입니다.

4 올해 7월 28일부터 366일 후가 다음 해 7월 28일이고, 7월은 31일까지 있으므로 8월 28일까지의 날수는 $366+31=397$(일)입니다.
따라서, 400일 후는 8월 28일부터 3일 후인 8월 31일이고, $400\div7=57\cdots1$이므로 화요일부터 1일 후인 수요일입니다..

5 다음 해 5월 19일은 10월 9일부터
$22+30+31+31+28+31+30+19=222$(일) 후입니다.
따라서, $222\div7=31\cdots5$이므로 5월 19일은 수요일부터 5일 후인 월요일입니다.

6 2009년 7월 30일은 2007년 5월 8일부터
$366+365+83=814$(일) 후이므로
$814\div7=116\cdots2$에서 2009년 7월 30일은 화요일부터 2일 후인 목요일입니다.

금메달 따기 p. 39

1 20790원　　2 187째 번
3 화요일

1 반복되는 부분은 (50)(500)(500)(100)(10)(50)(10)이고, 한 묶음 안에 있는 동전들의 금액의 합은
$50+500+500+100+10+50+10=1220$(원) 입니다.
$120\div7=17\cdots1$이므로 120째 번 동전까지의 금액의 합은 $1220\times17+50=20790$(원)입니다.

2 $32880\div1220=26\cdots1160$에서 반복되는 부분은 26묶음이고, 남은 동전들의 금액의 합이 1160원인 것을 알 수 있습니다.
$50+500+500+100+10=1160$(원)이므로 남은 동전은 5개입니다.
따라서, $7\times26+5=187$(째 번) 동전까지의 합입니다.

3 $365\div7=52\cdots1$에서 이 해의 1월 1일과 12월 31일이 월요일이라는 것을 알 수 있습니다. 다음 해는 화요일로 시작하여 화요일로 끝나게 되므로 마지막 날은 화요일입니다.

7 평균에 관한 문제 해결하기

확인문제 p. 40

1 246점　　2 336점
3 84점

1 $82\times3=246$(점)

2 $246+90=336$(점)

3 $336\div4=84$(점)

동메달 따기 p. 41 ~ 42

1 한별, 6점　　2 영수, 41개
3 33명　　4 29.7초
5 1시간 45분　　6 24대

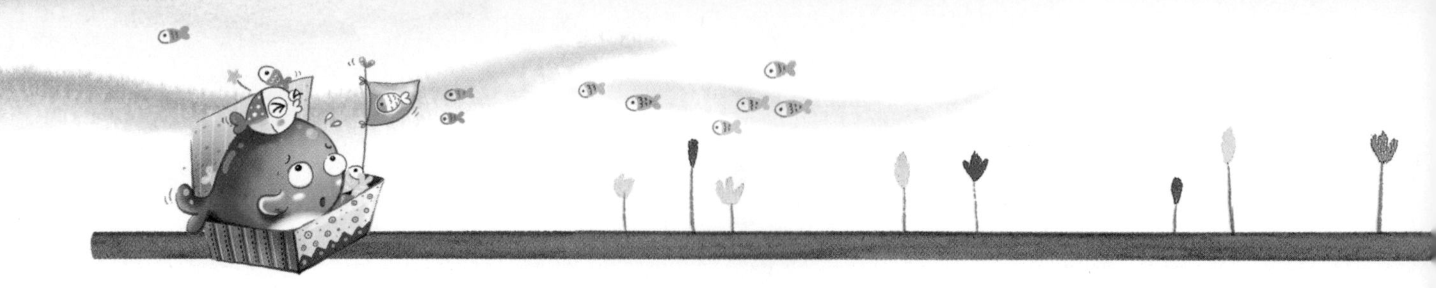

1 (한별이가 받은 평균 점수)
$=\frac{215+259+300+246}{4}=\frac{1020}{4}$
$=255$(점)
(웅이가 받은 평균 점수)
$=\frac{300+203+265+228}{4}=\frac{996}{4}$
$=249$(점)
따라서, 평균 점수는 한별이가 웅이보다
$255-249=6$(점) 더 높습니다.

2 (석기네 과수원에서 한 그루당 수확한 사과 수)
$=\frac{23400}{120}=195$(개)
(영수네 과수원에서 한 그루당 수확한 사과 수)
$=\frac{18880}{80}=236$(개)
따라서, 영수네 과수원에서 한 그루당 수확한 평균 사과 수가 $236-195=41$(개) 더 많습니다.

3 (일 주일 동안 식물원의 총 입장객 수)
$=49\times7=343$(명)
(수요일을 뺀 총 입장객 수)
$=75+32+40+45+50+68=310$(명)
따라서, 수요일의 입장객 수는
$343-310=33$(명)입니다.

4 (동민이네 모둠 학생들의 기록의 합)
$=27.5+30.2+29.4+32.8+28.6=148.5$(초)
따라서, 한 학생당 $\frac{148.5}{5}=29.7$(초)씩 걸린 셈입니다.

5 9시간 15분=555분, 13시간 30분=810분
따라서, 예슬이는 하루 평균
$\frac{555+810}{5+8}=\frac{1365}{13}=105$(분)씩 공부한 셈이므로 1시간 45분입니다.

6 그림그래프에서 월별 판매량을 알아본 후 총 판매량을 알아봅니다.
월별 판매량은 1월은 23대, 2월은 35대, 3월은 18대, 4월 20대이므로 4달 동안 판매한 휴대폰은 모두 $23+35+18+20=96$(대)이므로 한 달 평균 휴대폰 판매량은 $96\div4=24$(대)입니다.

은메달 따기 p. 43 ~ 44

1 96점	2 4회
3 2회	4 15분
5 135명	6 700g

1 (국어, 사회, 과학 세 과목의 총점)
$=80\times3=240$(점)
(네 과목의 총점)$=84\times4=336$(점)
따라서, 수학 시험에서 $336-240=96$(점)을 받아야 합니다.

2 두 모둠의 총 승부차기 성공 횟수를 두 모둠의 총 학생 수로 나누어서 구합니다.
(한별이네 모둠의 총 성공 횟수)
$=4.8\times5=24$(회)
(용희네 모둠의 총 성공 횟수)
$=3.5\times8=28$(회)
따라서, 두 모둠의 성공 횟수의 평균은
$\frac{24+28}{13}=\frac{52}{13}=4$(회)입니다.

3 (남학생의 평균)
$=(30\times7+21)\div7=33$(회)
(여학생의 평균)
$=(30\times4+20)\div4=35$(회)
따라서, 여학생과 남학생의 윗몸일으키기 횟수의 차는 $35-33=2$(회)입니다.

4 빈 자리 1개에 30분씩 앉을 수 있으므로 앉을 수 있는 전체 시간은 $30\times3=90$(분)입니다.
따라서, 6명이 앉아야 하므로 한 사람당
$90\div6=15$(분)씩 앉을 수 있습니다.

5 가, 나, 다, 라 동에 사는 총 주민 수는
$120\times4=480$(명)이므로 나와 다 동에 사는 주민 수는 $480-(112+128)=240$(명)입니다.
나 동의 주민 수는 다 동의 주민 수보다 30명이 더 많으므로 나 동의 주민 수는
$(240+30)\div2=135$(명)입니다.

6 (배 한 상자의 무게)$=60\div10=6$(kg)
(한 상자에서 배만의 무게)
$=6-0.4=5.6$(kg)
1kg=1000g이므로 5.6kg=5600g입니다.

따라서, 배 한 개의 평균 무게는
$5600 \div 8 = 700$(g)입니다.

금메달 따기 p. 45

1 $\frac{5}{8}$　　2 20
3 18문제

1 (분수들의 총합)$=\frac{3}{8}\times 4=\frac{3}{2}$
(세 분수의 합)
$=\frac{1}{4}+\frac{1}{2}+\frac{1}{8}=\frac{2}{8}+\frac{4}{8}+\frac{1}{8}=\frac{7}{8}$
따라서, □ 안에 알맞은 분수는
$\frac{3}{2}-\frac{7}{8}=\frac{12}{8}-\frac{7}{8}=\frac{5}{8}$입니다.

2 연속된 자연수 5개 중에서 가운데에 있는 수가 평균이 됩니다.
평균이 $90 \div 5 = 18$이므로 5개의 자연수는 16, 17, 18, 19, 20입니다.
따라서, 가장 큰 자연수는 20입니다.

3 (4회까지의 총점)$=85+75+90+95$
$=345$(점)
5회까지의 총점이 $86 \times 5 = 430$(점)보다 높아야 하므로 5회의 점수가 $430-345=85$(점)보다 높아야 합니다.
따라서, 85점은 $85 \div 5 = 17$(문제)를 맞히면 되므로 평균이 86점을 넘으려면 적어도 18문제를 맞혀야 합니다.

8 차가 일정한 점을 이용하여 해결하기

확인문제 p. 46

1 28　　2 14살
3 4년 후

2 $28 \div (3-1) = 28 \div 2 = 14$(살)
3 $14-10=4$(년)

동메달 따기 p. 47 ~ 48

1 2년 후　　2 4년 후
3 4년 전　　4 6년 전
5 3달 전　　6 40일 후

1 몇 년 후의 아버지의 연세와 아들의 나이를 그림을 그려 알아봅니다.

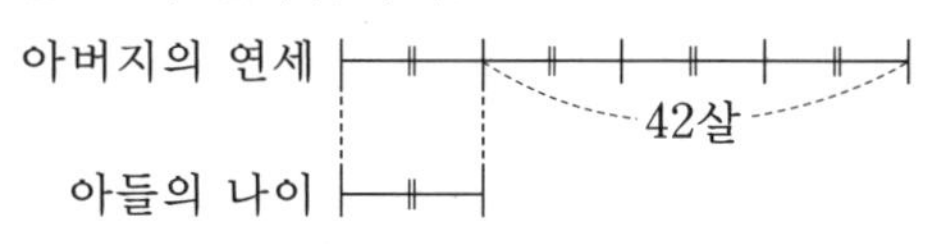

아버지와 아들의 나이의 차는 $54-12=42$(살)이고, 위의 그림에서 몇 년 후의 아들의 나이는 $42 \div (4-1) = 14$(살)입니다.
따라서, 아버지의 연세가 아들의 나이의 4배가 되는 것은 $14-12=2$(년) 후입니다.

2 몇 년 후의 선생님의 연세와 가영이의 나이를 그림으로 나타내면 다음과 같습니다.

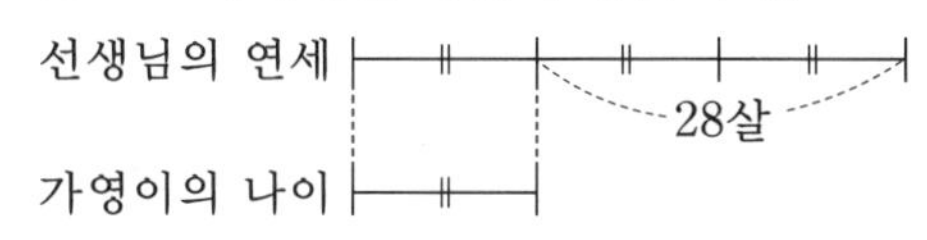

두 사람의 나이의 차는 $38-10=28$(살)이고, 위의 그림에서 몇 년 후의 가영이의 나이는 $28 \div (3-1) = 14$(살)이므로 선생님의 연세가 가영이의 나이의 3배가 되는 것은 $14-10=4$(년) 후입니다.

3 먼저 올해 할머니와 지혜의 나이의 차를 구한 후 몇 년 전의 지혜의 나이를 구합니다.
올해 할머니와 지혜의 나이의 차는 $76-12=64$(살)이고, 몇 년 전의 지혜의 나이는 $64 \div (9-1) = 8$(살)이었습니다.
따라서, 할머니의 연세가 지혜의 나이의 9배가 되었던 것은 $12-8=4$(년) 전입니다.

4 올해 형과 효근이의 나이의 차는 $18-12=6$(살)이고, 몇 년 전에도 형과 효근이의 나이의 차는 6살이었습니다.
형의 나이가 효근이의 나이의 2배였을 때의 효

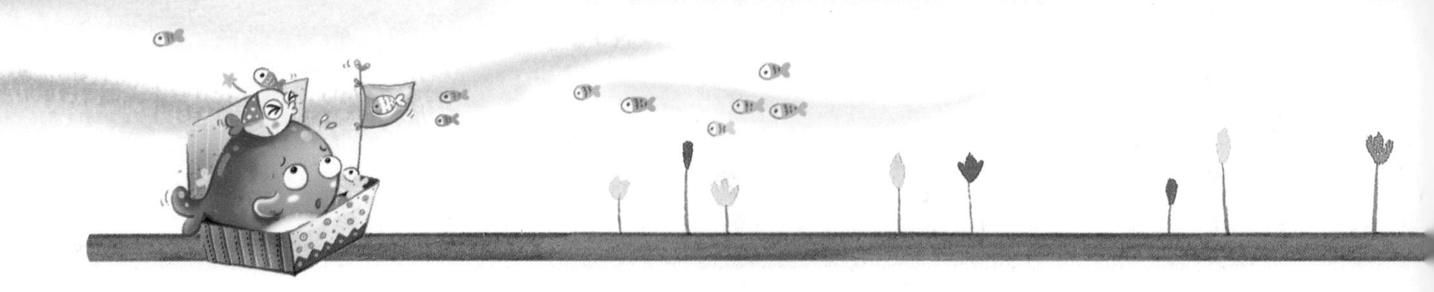

근이의 나이는 $6 \div (2-1)=6$(살)이었습니다.
따라서, 형의 나이가 효근이의 나이의 2배가 되었던 때는 $12-6=6$(년) 전입니다.

5 지금 두 사람이 갖고 있는 색연필의 개수의 차는 $42-12=30$(자루)이고, 몇 달 전에도 두 사람의 색연필의 개수의 차는 같았습니다.
몇 달 전의 동민이와 영수의 색연필의 개수를 그림으로 그려 보면 다음과 같습니다.

동민이의 색연필 수
30자루
영수의 색연필 수

동민이의 남은 색연필의 개수가 영수의 남은 색연필의 개수의 3배가 되었던 것은 영수의 색연필의 개수가 $30 \div (3-1)=15$(자루)가 되었을 때입니다.
따라서, $15-12=3$(달) 전입니다.

6 두 사람이 가지고 있는 수학문제집의 장수의 차는 $56-48=8$(장)이므로, 상연이의 남는 문제집의 장수가 용희의 남는 문제집의 장수의 2배가 되는 것은 용희의 남는 문제집의 장수가 $8 \div (2-1)=8$(장)일 때입니다.
따라서, $48-8=40$(일) 후입니다.

은메달 따기

p. 49 ~ 50

1 5주	2 70세
3 4년 후	4 5년 전
5 92세	6 42년 후

1 상연이와 한솔이의 돈의 차는 $30000-20000=10000$(원)이므로 한솔이의 남은 돈이 상연이의 남은 돈의 3배가 되는 것은 상연이의 남은 돈이 $10000 \div (3-1)=10000 \div 2=5000$(원)이 될 때입니다.
따라서, $(20000-5000) \div 3000=5$(주)입니다.

2 나이의 차가 50살이고, 할아버지의 연세가 손자의 나이의 3.5배가 되도록 그림을 그려 봅니다.

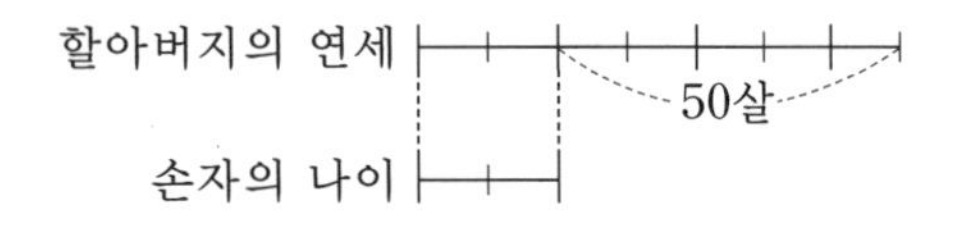

위의 그림에서 손자의 나이는 $50 \div (3.5-1)=50 \div 2.5=20$(살)이고, 할아버지의 연세는 $20 \times 3.5=70$(세)입니다.

3 올해 용희의 나이는 $(24+16) \div 2=20$(살)이고, 동생의 나이는 $24-20=4$(살)입니다. 용희의 나이가 동생의 나이의 3배가 되도록 그림을 그려 보면 다음과 같습니다.

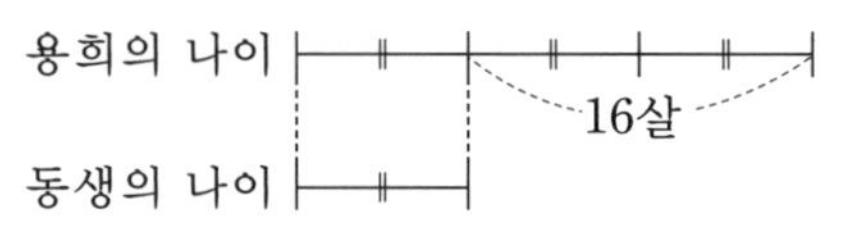

위의 그림에서 용희의 나이가 동생의 나이의 3배가 될 때 동생의 나이는 $16 \div (3-1)=8$(살)이므로 $8-4=4$(년) 후입니다.

4 올해 고모의 연세는 $(40+20) \div 2=30$(세)이고, 웅이의 나이는 $40-30=10$(살)입니다. 고모의 연세가 웅이의 나이의 5배가 되도록 그림을 그려 보면 다음과 같습니다.

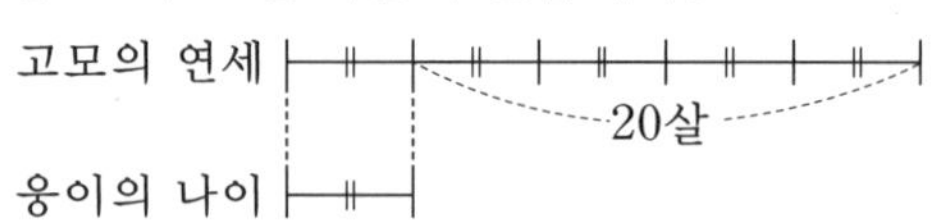

위의 그림에서 고모의 연세가 웅이의 나이의 5배가 되었을 때 웅이의 나이는 $20 \div (5-1)=5$(살)이었으므로 $10-5=5$(년) 전입니다.

5 나이의 차가 12살이고, 아버지의 연세가 삼촌의 연세의 1.3배가 되도록 그림을 그려 봅니다.

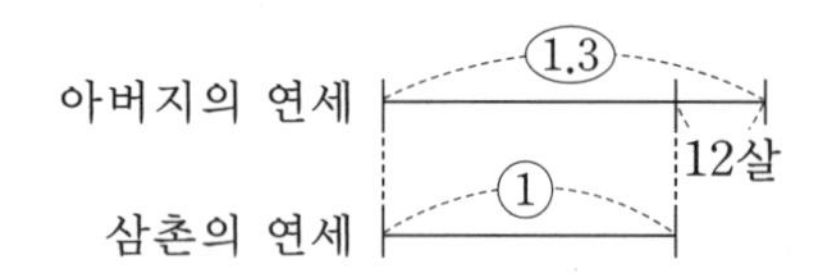

위의 그림에서 삼촌의 연세는 $12 \div (1.3-1)=12 \div 0.3=40$(세)이고, 아버지의 연세는 $40 \times 1.3=52$(세)입니다.
따라서, 아버지와 삼촌의 연세의 합은 $40+52=92$(세)입니다.

6 두 손녀의 나이의 합은 1년에 2살씩 많아지고 할아버지의 연세는 1살씩 많아지므로 나이의 차가 1년마다 $2-1=1$(살)씩 줄어듭니다.
올해 할아버지의 연세는 두 손녀의 나이의 합보다 $56-(8+6)=42$(살) 더 많으므로 나이가 같아지는 것은 42년 후입니다.

금메달 따기

p. 51

1 69살　　2 28살
3 10년 후

1 올해 아버지의 연세와 형과 나의 나이의 합의 차는 $47-25=22$(살)이므로
$22\div(2-1)=22$(년) 후에 나이가 같아집니다.
22년 후에 형과 나의 나이는 각각 22살씩 많아지므로 형과 나의 나이의 합은
$25+22\times2=25+44=69$(살)입니다.

2 올해 어머니의 연세와 나와 동생의 나이의 합의 차는 $40-21=19$(살)이므로,
$19\div(2-1)=19$(년) 후에 어머니의 연세가 나와 동생의 나이의 합과 같아집니다. 19년 후에 나와 동생의 나이의 합은
$21+19\times2=59$(살)이고, 동생이 나보다 3살 어리므로 19년 후에 동생의 나이는
$(59-3)\div2=28$(살)입니다.

3 □년 후를 그림으로 그려 나타내면 다음과 같습니다.

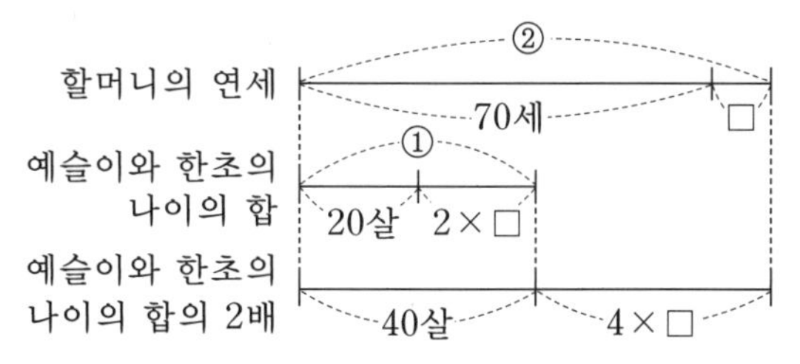

따라서, $70+\square=40+4\times\square$,
$\square=(70-40)\div3=30\div3=10$이므로 10년 후입니다.

9 합이 일정한 점을 이용하여 해결하기

확인문제

p. 52

1 1145L　　2 105L
3 10.5L

1 $(1250+1040)\div2=1145$(L)

2 $1250-1145=105$(L)

3 $\{1250-(1250+1040)\div2\}\div10=10.5$(L)

동메달 따기

p. 53 ~ 54

1 2번　　2 60분
3 32초　　4 4개
5 1080원　　6 5.25m

1 두 상자에 들어 있는 감자의 개수는
$26+34=60$(개)이므로 두 상자에 감자가 각각 $60\div2=30$(개)가 되어야 합니다.
따라서, $(34-30)\div2=2$(번) 옮기면 두 상자의 감자의 개수가 같습니다.

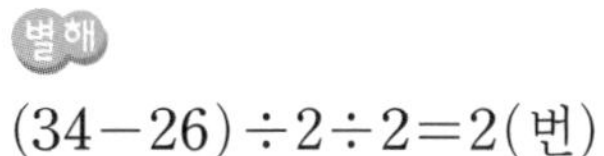

$(34-26)\div2\div2=2$(번)

2 먼저 물탱크에 같아진 물의 양을 구합니다.
두 물탱크에 들어 있는 물의 양은
$1500+1800=3300$(L)이므로 두 물탱크의 물이 각각 $3300\div2=1650$(L)가 되어야 합니다.
따라서, $(1800-1650)\div2.5=60$(분) 만에 두 물탱크의 물의 양이 같아졌습니다.

별해

$(1800-1500)\div2\div2.5=60$(분)

3 두 물통에 들어 있는 약수의 양은
$10.4+16.8=27.2$(L)이므로 두 물통의 약수는 각각 $27.2\div2=13.6$(L)$=13600$(mL)입니다.
따라서, $(16800-13600)\div100=32$(초) 만에 두 물통의 물의 양이 같아졌습니다.

별해

$(16800-10400)\div2\div100=32$(초)

4 두 사람이 갖고 있는 구슬의 개수의 합은
$52+32=84$(개)입니다. 규형이가 상연이에게 구슬을 주고 난 뒤를 그림으로 나타내면 다음과 같습니다.

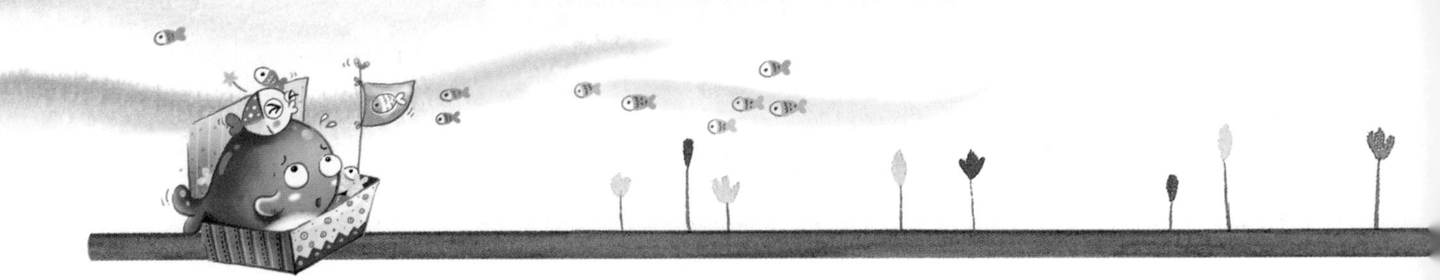

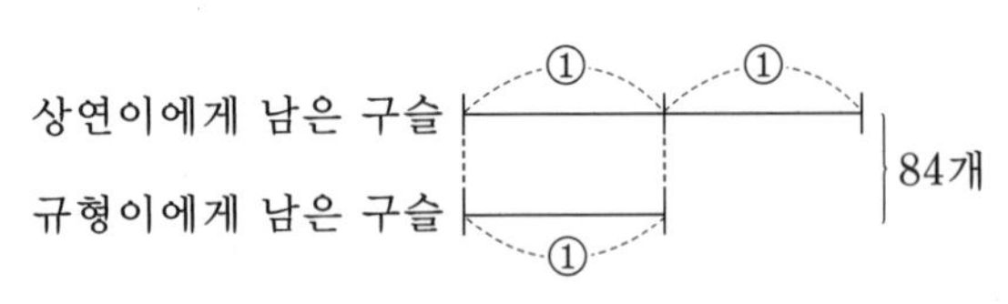

위의 그림에서 규형이에게 남은 구슬이
$84 \div (2+1)=28$(개)이므로 규형이가 상연이에게 $32-28=4$(개)를 준 것입니다.

5 두 사람이 갖고 있는 돈은
$2400+4200=6600$(원)입니다. 영수가 웅이에게 돈을 주고 난 뒤를 그림으로 나타내면 다음과 같습니다.

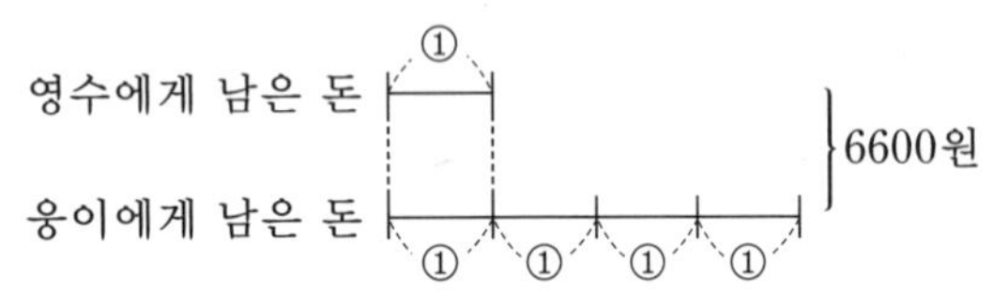

위의 그림에서 영수에게 남은 돈이
$6600 \div (1+4)=1320$(원)이므로 영수가 웅이에게 $2400-1320=1080$(원)을 준 것입니다.

6 두 사람이 갖고 있는 색 테이프의 길이의 합은 $17.4+12.8=30.2$(m)입니다. 지혜가 율기에게 색 테이프를 주고 난 뒤를 그림으로 나타내면 다음과 같습니다.

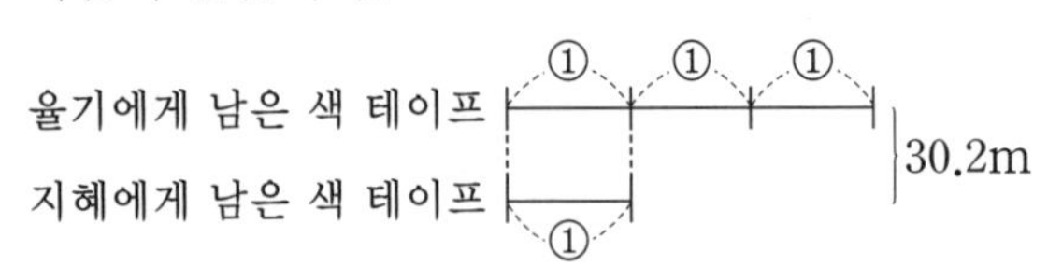

지혜에게 남은 색 테이프는
$30.2 \div (3+1)=7.55$(m)이므로 지혜가 율기에게 $12.8-7.55=5.25$(m)를 주었습니다.

은메달 따기 p. 55 ~ 56

1 100원　　2 2250원
3 1650원　　4 300원
5 150원
6 효근 : 34.4cm, 용희 : 17.6cm

1 본래는 똑같은 개수로 나누어 가져야 하지만 6개 더 가졌으므로 실제로 한초가 갖고 있는 사탕의 개수는 본래 가져야 할 개수보다 3개 더 많은 셈입니다.

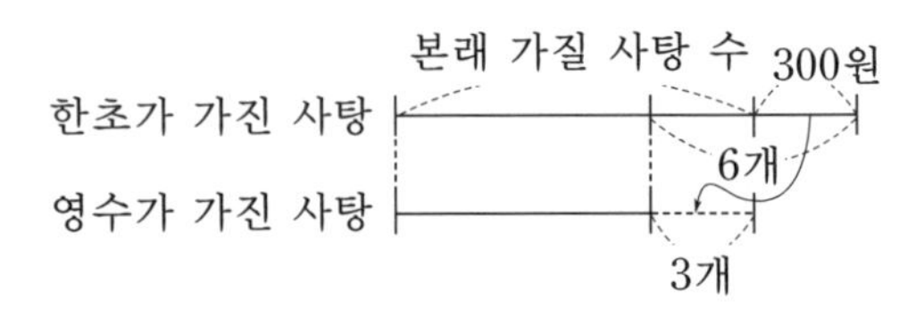

한초는 본래 가져야 할 개수보다
$6-(6 \div 2)=3$(개) 더 가졌기 때문에 영수에게 300원을 준 것입니다. 따라서, 사탕 한 개의 값은 $300 \div 3=100$(원)입니다.

2 같은 금액을 냈을 경우 연필을 15자루씩 나누어 가지면 되는데 예슬이가 한별이보다 8자루를 더 갖기로 하였으므로 예슬이가 본래 가져야 할 연필보다 4자루 더 가진 셈입니다.

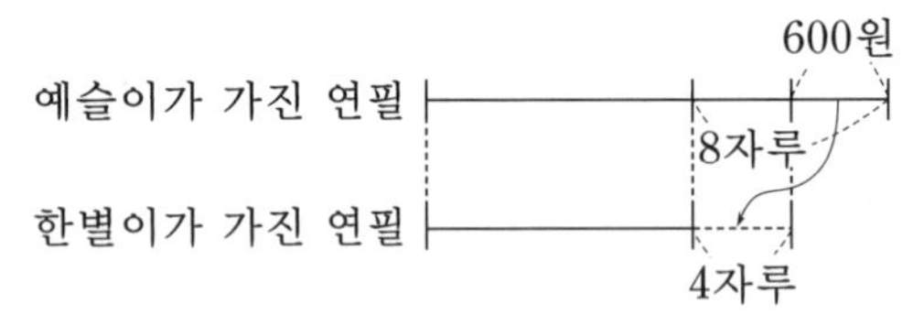

따라서, 연필 한 자루의 값은 $600 \div 4=150$(원)이므로 처음에 각각 $(30 \times 150) \div 2=2250$(원)을 내었습니다.

3 같은 금액을 냈을 경우 색종이를
$100 \div 2=50$(장)씩 나누어 가지면 되는데 석기는 본래 가져야 할 색종이보다
$10-(10 \div 2)=5$(장)을 더 가졌습니다.
석기는 본래 가져야 할 색종이보다 5장을 더 가져서 용희에게 150원을 준 것이므로 색종이 한 장의 가격은 $150 \div 5=30$(원)이고, 석기가 색종이 값으로 낸 돈은 모두
$(100 \times 30) \div 2+150=1650$(원)입니다.

4 두 사람이 각각 1500원씩 내서 카드 20장을 샀으므로 카드 한 장의 값은
$(1500+1500) \div 20=150$(원)입니다.
지혜는 본래 가져야 할 카드보다
$4-(4 \div 2)=2$(장)을 더 가진 셈이므로 카드 2장의 값을 한솔이에게 주어야 합니다.
따라서, 지혜는 한솔이에게 $2 \times 150=300$(원)

을 주면 됩니다.

5 두 사람이 각각 950원씩 내서 구슬 38개를 샀으므로 구슬 한 개의 값은
$(950+950)\div38=50$(원)입니다.
가영이는 율기보다 $6-(6\div2)=3$(개)를 더 가진 셈이므로 3개의 값에 해당하는 돈을 율기에게 주어야 합니다. 따라서, 가영이는 율기에게
$3\times50=150$(원)을 주면 됩니다.

6 처음에 리본을 효근이는 용희보다
$8.4\times2=16.8$(cm)를 더 많이 가지고 있었습니다.
따라서, 효근이는 $(52+16.8)\div2=34.4$(cm), 용희는 $52-34.4=17.6$(cm)를 가지고 있었습니다.

금메달 따기 p. 57

1 17개 2 850원
3 ㉮ : 0.4L, ㉯ : 0.3L, ㉰ : 1.1L

1 가영이와 한초가 갖고 있는 바둑돌의 개수의 합은 $120+76=196$(개)이므로 가영이가 한초에게 바둑돌을 주고 난 뒤에 가영이의 바둑돌은 $(196+10)\div2=103$(개)가 됩니다.
따라서, 가영이는 한초에게 바둑돌을
$120-103=17$(개) 주었습니다.

2 율기와 영수가 갖고 있는 돈은 모두
$3800+2600=6400$(원)이므로 율기가 영수에게 돈을 주고 난 다음 율기에게 남은 돈은 $(6400-500)\div2=2950$(원)이 됩니다.
따라서, 율기는 영수에게
$3800-2950=850$(원)을 주었습니다.

3 세 컵의 물의 양이 같아질 때 각각의 컵의 물은 $1.8\div3=0.6$(L)가 되므로 ㉰컵에는
$0.6+0.3+0.2=1.1$(L), ㉯ 컵에는
$0.6-0.3=0.3$(L), ㉮컵에는
$0.6-0.2=0.4$(L)씩 들어 있었습니다.

10 차량의 통과에 관한 문제 해결하기

확인문제 p. 58

1 400m 2 540m
3 18초

2 $140+400=540$(m)

3 $(140+400)\div30=18$(초)

동메달 따기 p. 59 ~ 60

1 637m 2 600m
3 1520m 4 160m
5 150m 6 3배

1 1초에 14m를 달리는 버스가 터널을 완전히 통과하는 데 46초가 걸렸으므로 움직인 거리는
$14\times46=644$(m)입니다.
따라서, 터널의 길이는 $644-7=637$(m)입니다.

2 2분 30초는 150초이므로 마라톤 선수가 간 총 거리는 $4\times150=600$(m)입니다.
따라서, 다리의 길이도 600m입니다.

3 열차가 움직인 총 거리는 $18\times90=1620$(m)이므로 철교의 길이는 $1620-100=1520$(m)입니다.

4 열차가 움직인 총 거리는 $20\times48=960$(m)이므로 열차의 길이는 $960-800=160$(m)입니다.

5 36km ➡ 36000m에서 1초에 $36000\div(10\times60)=60$(m)를 달립니다. 20초 동안에는 $20\times60=1200$(m)를 달리므로 고속열차의 길이는 $1200-1050=150$(m)입니다.

6 1초에 $1200\div60=20$(m)를 달리므로 열차가 움직인 총 거리는 $20\times30=600$(m)입니다. 따라서, 철교의 길이는 $600-150=450$(m)이므로 열차 길이의 $450\div150=3$(배)입니다.

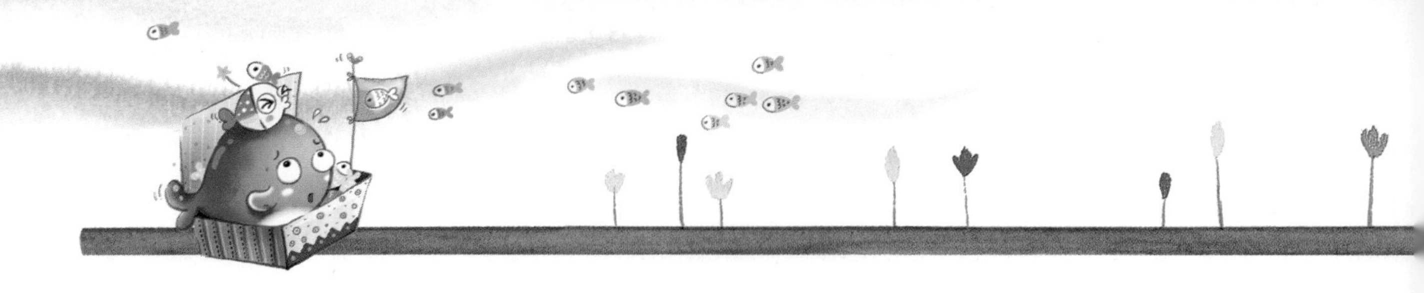

은메달 따기 p. 61 ~ 62

1 40초　　2 39초
3 6초　　4 37초
5 1분 30초　　6 27m

1 처음 열차가 움직인 거리는 $20 \times 40 = 800$(m)이므로 터널의 길이는 $800 - 100 = 700$(m)입니다. 따라서, 길이가 180m인 다른 열차가 움직여야 할 거리는 $180 + 700 = 880$(m)이므로 터널을 통과하는 데 걸리는 시간은 $880 \div 22 = 40$(초)입니다.

2 열차의 길이는 $14 \times 74 - 906 = 130$(m)이므로 걸리는 시간은 $(1040 + 130) \div 30 = 39$(초)입니다.

3 기차가 건널목을 완전히 빠져나갈 때까지 움직인 거리는 $21 + 60 = 81$(m)입니다.
① 기차가 건널목에서 속도를 줄이지 않고 건널목을 건너는 데 걸리는 시간은 $81 \div 27 = 3$(초)입니다.
② 기차가 건널목에 진입하여 속도를 줄여서 건널목을 건너는 데 걸리는 시간은 $81 \div 9 = 9$(초)입니다.
따라서, 시간의 차는 $9 - 3 = 6$(초)입니다.

4 버스의 길이는 $(1200 \div 60) \times 68 - 1350 = 10$(m)이므로 걸리는 시간은 $(1100 + 10) \div 30 = 37$(초)가 걸립니다.

5 열차의 길이는 $22 \times 70 - 1400 = 140$(m)이므로, 걸린 시간은 $(1300 + 140) \div 16 = 90$(초)
➡ 1분 30초가 걸립니다.

6 열차의 길이는 $17 \times 100 - 1600 = 100$(m)이므로, 열차의 빠르기는 매초 $(1790 + 100) \div 70 = 27$(m)씩 달린 셈입니다.

금메달 따기 p. 63

1 114m　　2 20m
3 36km

1 A 열차와 B 열차의 속력의 차는 1초에 $22 - 18 = 4$(m)이므로, A 열차는 B 열차를 매초 4m씩 따라 잡습니다. 따라서, B 열차의 길이는 $56 \times 4 - 110 = 114$(m)입니다.

2 두 열차의 속력의 합은 $(120 + 90) \div 3 = 70$(m)입니다. 따라서, 보통열차는 1초에 $70 - 50 = 20$(m)의 빠르기로 달립니다.

3 터널의 길이는 $(20 \times 35) - 180 = 520$(m)이므로 1초에 움직이는 화물용 열차의 빠르기는 $(520 + 280) \div 80 = 10$(m)입니다. 따라서, 1시간에 $10 \times (60 \times 60) \div 1000 = 36$(km)의 빠르기로 달립니다.

11 남고 모자람의 관계를 이용하여 해결하기

확인문제 p. 64

1 6, 8　　2 7명
3 41자루

2 $(6 + 8) \div (7 - 5) = 7$(명)

3 $5 \times 7 + 6 = 41$(자루)

동메달 따기 p. 65 ~ 66

1 사람 수 : 5명, 구슬 수 : 25개
2 사람 수 : 9명, 공책 수 : 34권
3 사람 수 : 5명, 귤의 수 : 70개
4 사자 수 : 12마리, 고깃덩이 수 : 146덩이
5 4명　　6 28개

1 사람이 □명 있다고 하면

3개 차이: 4개 —×□→ 5개 남음 / 7개 —×□→ 10개 부족 : 15개 차이

따라서, 사람 수는 $15 \div 3 = 5$(명)이고, 구슬 수는 $4 \times 5 + 5 = 25$(개)입니다.

2 사람이 □명 있다고 하면

2권 차이: 3권 —×□→ 7권 남음 / 5권 —×□→ 11권 부족 : 18권 차이

따라서, 사람 수는 $18 \div 2 = 9$(명)이고, 공책 수는 $3 \times 9 + 7 = 34$(권)입니다.

3 사람이 □명 있다고 하면

4개 차이: 16개 —×□→ 10개 부족 / 12개 —×□→ 10개 남음 : 20개 차이

따라서, 사람 수는 $20 \div 4 = 5$(명)이고, 귤의 수는 $16 \times 5 - 10 = 70$(개)입니다.

4 사자가 □마리 있다고 하면

2덩이 차이: 13덩이 —×□→ 10덩이 부족 / 11덩이 —×□→ 14덩이 남음 : 24덩이 차이

따라서, 사자 수는 $24 \div 2 = 12$(마리)이고, 고깃덩이 수는 $13 \times 12 - 10 = 146$(덩이)입니다.

5 전체 사람 수를 □명이라 하면

3장 차이: 7장 —×□→ 4장 부족 / 10장 —×□→ 19장 부족 : 15장 차이

따라서, 사람 수는 $15 \div 3 = 5$(명)이므로, 영수의 친구는 $5 - 1 = 4$(명)입니다.

6 사람 수를 □명이라 하면

5개 차이: 4개 —×□→ 20개 남음 / 9개 —×□→ 10개 남음 : 10개 차이

따라서, 사람 수는 $10 \div 5 = 2$(명), 지우개 수는 $4 \times 2 + 20 = 28$(개)입니다.

은메달 따기 p. 67 ~ 68

1 78개　　2 42개
3 의자 수 : 18개, 학생 수 : 100명
4 145개　　5 109권
6 4명

1 통의 수를 □개라고 하면

8개 차이: 18개 —×□→ 6개 남음 / 26개 —×□→ 26개 부족 : 32개 차이

따라서, 통의 수는 $32 \div 8 = 4$(개)이고, 구슬은 $18 \times 4 + 6 = 78$(개)입니다.

2 상자가 부족한 것은 배가 남는 것으로, 상자를 채우지 못하는 것은 배가 부족한 것으로 생각하여 해결합니다.
상자 수를 □상자라 하면

3개 차이: 6개 —×□→ 12개 남음 / 9개 —×□→ 3개 부족 : 15개 차이

따라서, 상자 수는 $15 \div 3 = 5$(상자), 배의 수는 $6 \times 5 + 12 = 42$(개)입니다.

3 의자 수를 □개라 하면

5명 차이: 5명 —×□→ 10명 남음 / 10명 —×□→ 80명 부족 : 90명 차이

따라서, 의자 수는 $90 \div 5 = 18$(개)이고, 학생 수는 $5 \times 18 + 10 = 100$(명)입니다.

4 통의 수를 □개라고 하면

5개 차이: 15개 —×□→ 10개 남음 / 20개 —×□→ 35개 부족 : 45개 차이

따라서, 통의 수는 $45 \div 5 = 9$(개)이고, 사탕 수는 $15 \times 9 + 10 = 145$(개)입니다.

5 사람 수를 □명이라 하면

2권 차이: 5권 —×□→ 44권 남음 / 7권 —×□→ 18권 남음 : 26권 차이

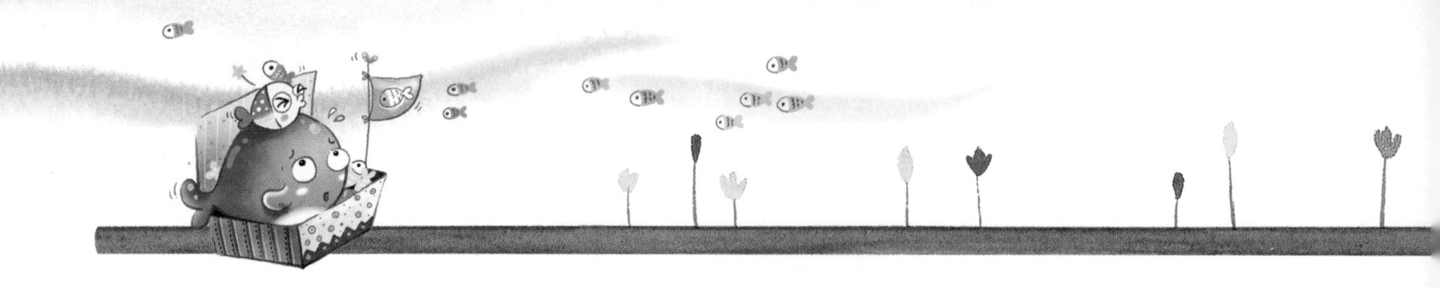

따라서, 사람 수는 $26 \div 2 = 13$(명), 공책 수는 $5 \times 13 + 44 = 109$(권)입니다.

6 전체 사람 수를 □명이라고 하면

4개 차이 〈 6개 $\xrightarrow{\times \square}$ 6개 부족 / 10개 $\xrightarrow{\times \square}$ 30개 부족 〉 24개 차이

따라서, 사람 수는 $24 \div 4 = 6$(명)이므로 효근이와 용희 친구는 $6 - 2 = 4$(명)입니다.

금메달 따기

p. 69

1 38명　　2 990원
3 486쪽

1 학생 수를 □명이라 하면

100권 차이 〈 400원 $\xrightarrow{\times \square}$ 2400원 부족 / 300원 $\xrightarrow{\times \square}$ 1400원 남음 〉 3800원 차이

따라서, 학생 수는 $3800 \div 100 = 38$(명)입니다.

2 가 물건을 □개 산 것으로 생각하면

5개 차이 〈 가 물건 : 4개 $\xrightarrow{\times \square}$ 430원 남음 / 가 물건 : 9개 $\xrightarrow{\times \square}$ 270원 부족 〉 700원 차이

따라서, 가 물건의 가격은 $700 \div 5 = 140$(원)이므로, $4 \times 140 + 430 = 990$(원)입니다.

3 매일 30쪽씩 읽을 때, 마지막 날 읽을 쪽수는 $30 - 6 = 24$(쪽)이 부족한 셈입니다.
책을 읽은 날수를 □일이라고 생각하면

4쪽 차이 〈 30쪽 $\xrightarrow{\times \square}$ 24쪽 부족 / 34쪽 $\xrightarrow{\times \square}$ 92쪽 부족 〉 68쪽 차이

따라서, 책을 읽는 날수는 $68 \div 4 = 17$(일)이고, 책의 쪽수는 $30 \times 17 - 24 = 486$(쪽)입니다.

12 부분을 알고 전체의 양 구하기

확인문제

p.70

1 2400　　2 800원
3 3200원

2 $2400 \div 3 = 800$(원)

3 $800 \times 4 = 3200$(원)

동메달 따기

p. 71 ~ 72

1 600cm　　2 70쪽
3 28명　　4 22명
5 27개　　6 7개

1 $240 \div 2 \times 5 = 600$(cm)

2 $42 \div 3 \times 5 = 70$(쪽)

(전체 쪽수)$\times \frac{3}{5} = 42$(쪽)에서

(전체 쪽수)$= 42 \div \frac{3}{5} = 42 \times \frac{5}{3} = 70$(쪽)입니다.

3 다른 과목을 좋아하는 학생은 전체의 $1 - \frac{3}{7} = \frac{4}{7}$ 이고, 이것은 16명을 뜻합니다.
따라서 예슬이네 반 학생은
$16 \div (7 - 3) \times 7 = 28$(명)입니다.

4 안경을 쓰지 않은 사람은 전체의 $1 - \frac{6}{11} = \frac{5}{11}$ 이고, 이것은 10명을 뜻합니다.
그러므로, 동민이네 반 학생은
$10 \div (11 - 6) \times 11 = 22$(명)입니다.

5 율기가 가지고 있던 구슬은 모두 $24 \div 4 \times 9 = 54$(개)입니다. 따라서, 친구에게 준 구슬은 $54 \div 2 = 27$(개)입니다.

6 한초가 가지고 있는 사탕은 $16 \div 2 \times 7 = 56$(개)입니다.
따라서, $56 \div 8 = 7$(개)입니다.

은메달 따기

p. 73 ~ 74

1 60	2 72
3 1008명	4 328개
5 297	6 257명

1 어떤 수는 $80 \div 5 \times 6 = 96$이므로 어떤 수의 $\frac{5}{8}$는 $96 \times \frac{5}{8} = 60$입니다.

2 어떤 수를 1이라 하면

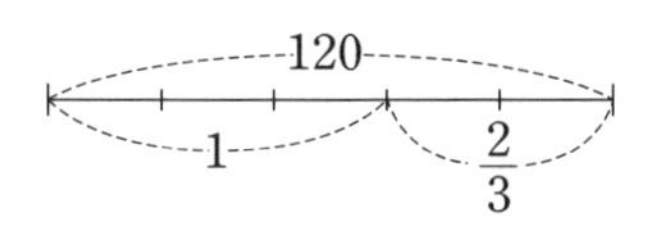

위의 그림에서 1의 크기는

$120 \div \left(1+\frac{2}{3}\right) = 72$입니다.

3 어린이 입장객 수를 1로 놓으면, 어른 입장객의 수는 $\frac{3}{7}$입니다.

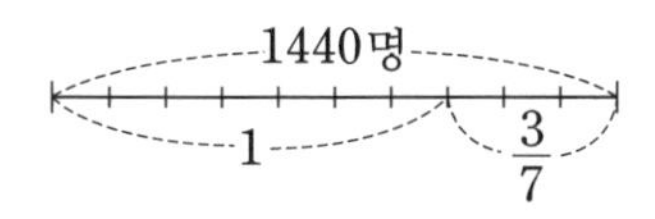

위의 그림에서 1의 크기는

$1440 \div \left(1+\frac{3}{7}\right) = 1008$(명)이므로, 어린이 입장객의 수는 1008명입니다.

4 귤의 수를 1이라 하면

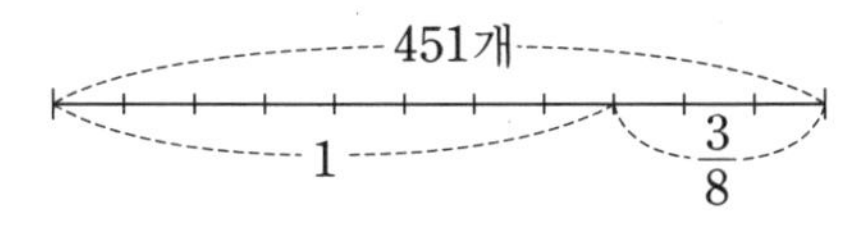

위의 그림에서 1의 크기는

$451 \div \left(1+\frac{3}{8}\right) = 328$(개)이므로, 귤의 수는 328개입니다.

5 ♥를 1이라 하면

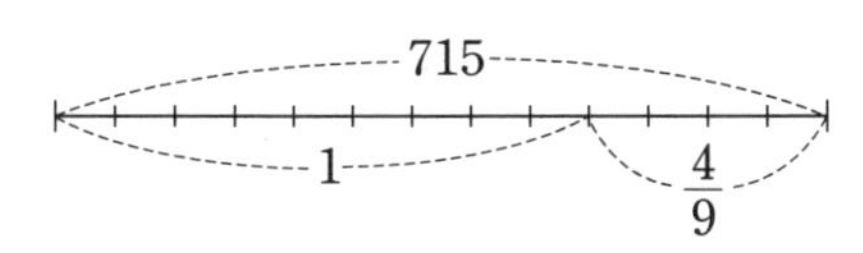

위의 그림에서 ♥는 $715 \div \left(1+\frac{4}{9}\right) = 495$입니다.

따라서, ♥의 $\frac{3}{5}$은 $495 \times \frac{3}{5} = 297$입니다.

6 남학생 수를 1이라 하면

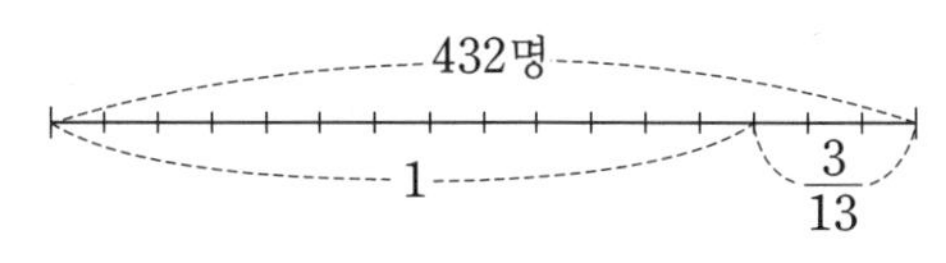

위의 그림에서 1의 크기는

$432 \div \left(1+\frac{3}{13}\right) = 351$입니다. 따라서, 운동장에 남아 있는 남학생 수는 $351-94=257$(명)입니다.

금메달 따기

p. 75

1 108개	2 676개
3 420명	

1

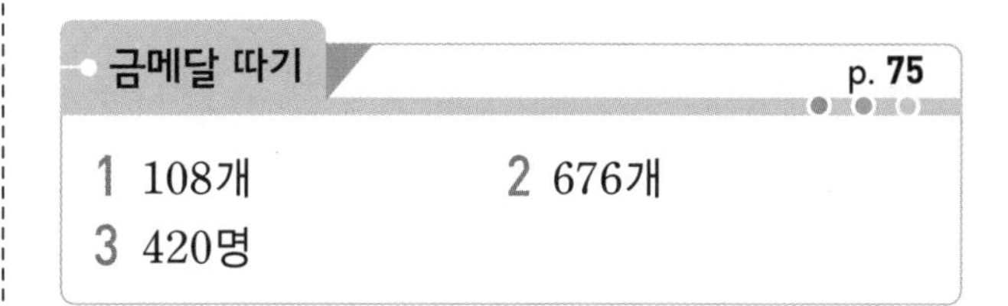

위의 그림에서 ②에 해당하는 수가 18개이므로 ①에 해당하는 수는 $18 \div 2 = 9$(개)입니다. 따라서, 딱지와 구슬은 $9 \times$(⑤+⑦)$=108$(개)입니다.

2

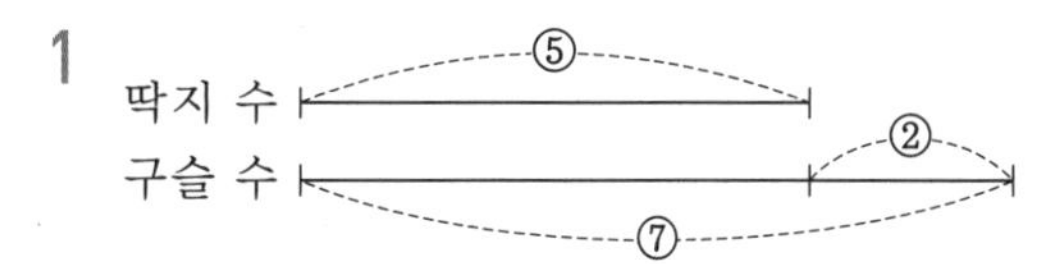

위의 그림에서 ⑤에 해당하는 수가 260개이므로 ①에 해당하는 수는 $260 \div 5 = 52$(개)입니다.
따라서, 제품은 $52 \times$(④+⑨)$=676$(개)입니다.

3 전체 학생 수를 1로 놓으면

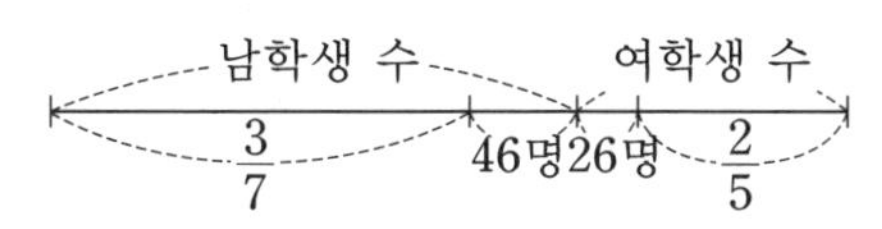

따라서, $46+26=72$(명)은 전체 학생 수의

$1-\left(\frac{3}{7}+\frac{2}{5}\right)=\frac{6}{35}$이므로

전체 학생 수는 $72 \div 6 \times 35 = 420$(명)입니다.

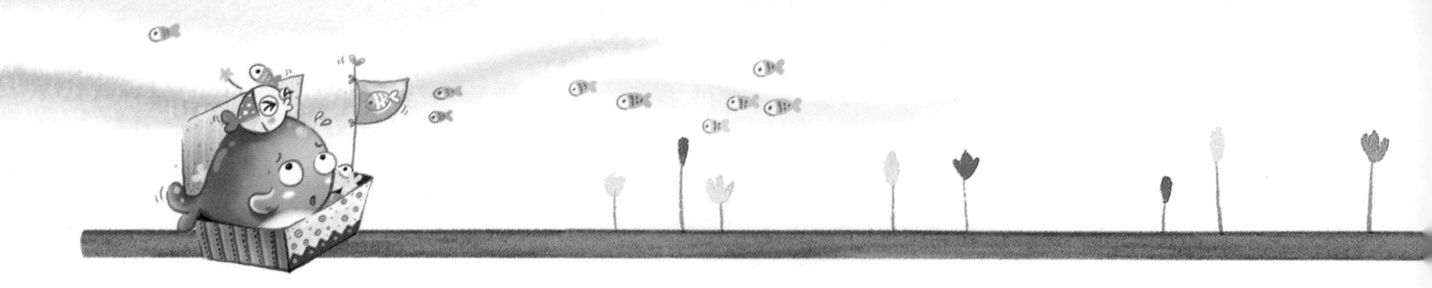

13 전체를 한쪽으로 가정하여 해결하기

확인문제 p.76

1 20개　2 16개
3 8마리

1 $10\times2=20$(개)

2 $36-20=16$(개)

3 $(36-20)\div(4-2)=8$(마리)

동메달 따기 p.77 ~ 78

1 7마리　2 13마리
3 6마리　4 10대
5 10개　6 12개

1 고양이의 수를 물어보았으므로 12마리 모두 오리로 가정하여 식을 세웁니다. 12마리 모두 오리로 가정하면 다리 수는 $12\times2=24$(개)이고, 실제 다리 수는 38개이므로, 고양이는 $(38-24)\div(4-2)=7$(마리)입니다.

2 모두 펭귄이라고 가정하면 다리 수는 $20\times2=40$(개), 실제 다리 수는 66개이므로, 사자는 $(66-40)\div(4-2)=13$(마리)입니다.

3 모두 강아지라고 가정하면 다리 수는 $18\times4=72$(개), 실제 다리 수는 60개이므로, 병아리는 $(72-60)\div(4-2)=6$(마리)입니다.

4 모두 자가용으로 가정하면 바퀴는 $30\times4=120$(개), 실제는 100개이므로, 두발자전거는 $(120-100)\div(4-2)=10$(대)입니다.

5 15개 모두 800원짜리 초콜릿을 산 것으로 가정하면 돈은 $15\times800=12000$(원)이고, 실제 지불한 돈은 9000원입니다. 또한, 초콜릿 1개끼리의 가격의 차는 $800-500=300$(원)이므로, 500원짜리 초콜릿은 $(12000-9000)\div(800-500)=10$(개) 샀습니다.

6 20개 모두 300원짜리 사과를 산 것으로 가정하면 돈은 $20\times300=6000$(원)이고, 실제 지불한 돈은 8400원입니다. 또한, 배와 사과 1개씩의 가격의 차는 $500-300=200$(원)이므로, 500원짜리 배는 $(8400-6000)\div(500-300)=12$(개) 샀습니다.

은메달 따기 p.79 ~ 80

1 지우개 : 7개, 공책 : 5권
2 귤 : 15개, 감 : 8개　3 3꾸러미
4 4배　5 3000원
6 150원

1 지우개와 공책을 사는데 실제로 지불한 돈은 $5000-1250=3750$(원)입니다. 12개 모두 400원짜리 공책을 산 것으로 가정하면 돈은 $12\times400=4800$(원)이므로, 250원짜리 지우개는 $(4800-3750)\div(400-250)=7$(개), 400원짜리 공책은 $12-7=5$(권) 샀습니다.

2 귤과 감을 사는데 실제로 지불한 돈은 $10000-3800=6200$(원)입니다. 23개 모두 400원짜리 감을 산 것으로 가정하면 돈은 $23\times400=9200$(원)이므로, 귤의 수는 $(9200-6200)\div(400-200)=15$(개), 감의 수는 $23-15=8$(개)입니다.

3 27꾸러미 모두 10개들이 달걀 꾸러미로 가정하면 달걀 수는 $27\times10=270$(개)이고 실제는 420개이므로, 20개들이 달걀 꾸러미는 $(420-270)\div(20-10)=15$(꾸러미), 10개들이 달걀 꾸러미는 $27-15=12$(꾸러미)입니다. 따라서, $15-12=3$(꾸러미) 차이입니다.

4 15상자 모두 30개들이 귤 상자로 가정하면 귤의 수는 $15\times30=450$(개)이고 실제는 495개이므

로, 45개들이 귤 상자의 수는
$(495-450)\div(45-30)=3$(상자)입니다. 따라서, 30개들이 귤 상자의 수는 $15-3=12$(상자)이므로, $12\div3=4$(배)입니다.

5 26자루 모두 250원짜리 연필을 산 것으로 가정하면 돈은 $26\times250=6500$(원)이고 실제는 7000원이므로, 색연필은
$(7000-6500)\div(300-250)=10$(자루)입니다. 따라서, 색연필을 사는데 든 돈은
$300\times10=3000$(원)입니다.

6 22개 모두 100원짜리로 가정하면 금액은
$22\times100=2200$(원)이고 실제는 850원이므로, 10원짜리의 개수는
$(2200-850)\div(100-10)=15$(개)입니다.
따라서, $10\times15=150$(원)입니다.

금메달 따기

p. 81

1 18개　　2 4000원
3 5분

1 한별이가 낸 돈은 $5000\div5\times3=3000$(원)이고, 형이 낸 돈은 $3000+840=3840$(원)이므로 물건 A와 B의 총 금액은
$3000+3840=6840$(원)입니다. 30개 모두 물건 B를 산 것으로 가정하여 식을 세우면 물건 A는 $(30\times300-6840)\div(300-180)=18$(개)입니다.

2 귤과 사과를 사는데 든 금액은
$12000\div4\times3-1000=8000$(원)입니다. 26개 모두 귤을 산 것으로 가정하여 식을 세우면 사과의 개수는 $(8000-26\times250)\div(400-250)=10$(개)이므로, 사과를 사는데 든 금액은
$400\times10=4000$(원)입니다.

3 13분 내내 보통 걸음으로 걸은 것으로 가정하면 걸은 거리는 $70\times13=910$(m)이고, 실제 걸은 거리는 1110m이므로 빠른 걸음으로 걸은 시간은 $(1110-910)\div(110-70)=5$(분)입니다.

14 단위량의 모임을 이용하여 해결하기

확인문제

p. 82

1 12　　2 50000원
3 1500000원

1 $1\times3\times4=12$

2 $600000\div12=50000$(원)

3 $50000\times5\times6=1500000$(원)

동메달 따기

p. 83 ~ 84

1 600000원　　2 480000원
3 200000원　　4 60t
5 900kg　　6 21일

1 1사람이 1일 일하는 일의 양을 1로 하면, 3사람이 3일 일하는 일의 양은 $1\times3\times3=9$이므로 1사람이 1일 일하여 받는 돈은
$270000\div9=30000$(원), 따라서 4사람이 5일 일하여 받는 돈은 $30000\times4\times5=600000$(원)입니다.

2 1사람이 1일 일하는 일의 양을 1로 하면, 4사람이 6일 일하는 일의 양은 $1\times4\times6=24$, 1사람이 1일 일하여 받는 돈은
$960000\div24=40000$(원)이므로, 3사람이 4일 일하여 받는 돈은
$40000\times3\times4=480000$(원)입니다.

3 1사람이 1시간 일하는 일의 양을 1로 하면, 5사람이 3시간 일하는 일의 양은 $1\times5\times3=15$, 1사람이 1시간 일하여 받는 돈은
$75000\div15=5000$(원)이므로 8사람이 5시간 일하여 받는 돈은 $5000\times8\times5=200000$(원)입니다.

4 1개의 수도관으로 1시간 넣는 물의 양을 1로 하면, 2개의 수도관으로 3시간 넣는 물의 양은 $1\times2\times3=6$이므로, 1개의 수도관으로 1시간 넣는 실제 물의 양은 $18\div6=3$(t)입니다. 따라

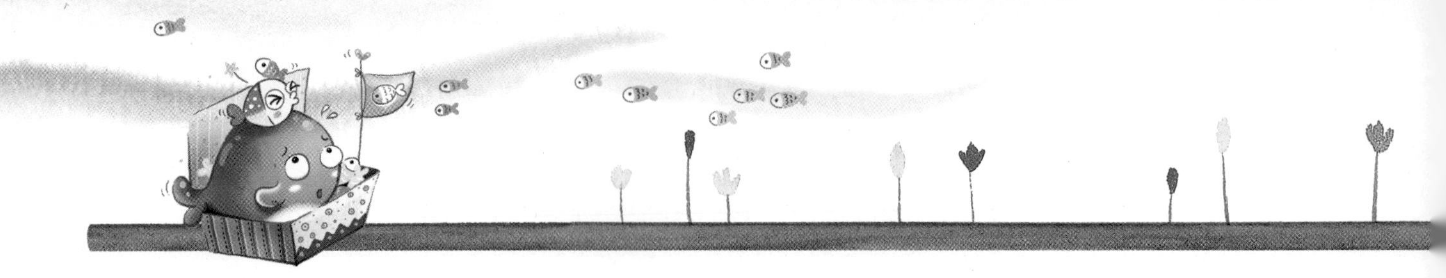

서, 구하는 물의 양은 $3\times5\times4=60$(t)입니다.

5 소 1마리가 1일 먹는 풀의 양을 1로 하면, 소 5마리가 10일 먹는 풀의 양은 $1\times5\times10=50$이므로, 소 1마리는 1일에 $250\div50=5$(kg)씩 먹습니다. 그러므로, 소 15마리가 12일 동안 먹는 풀의 양은 $5\times15\times12=900$(kg)입니다.

6 1명이 1일 동안 하는 일의 양을 1로 하면, 해야 할 일의 양은 $1\times7\times15=105$입니다. 이 일을 5명이 한다면 $105\div5=21$(일) 걸려 마칠 수 있습니다.

은메달 따기 p. 85 ~ 86

1 10일	2 25일
3 12일	4 10일
5 9일	6 15명

1 1명이 1일 하는 일의 양을 1로 하면, 해야할 전체 일의 양은 $1\times8\times15=120$이고, 이 일을 $8+4=12$(명)이 하는데는 $120\div12=10$(일) 걸립니다.

2 양 1마리가 1일 먹는 풀의 양은 $600\div(20\times10)=3$(kg)이므로, 양 8마리는 하루에 $3\times8=24$(kg)을 먹습니다. 따라서, $600\div24=25$(일) 먹을 수 있습니다.

3 1명이 1일 일하는 양을 1로 하면, 전체 일의 $\frac{1}{2}$은 $1\times3\times10=30$이므로 전체 일의 양은 $30\times2=60$입니다. 따라서, $60\div5=12$(일)만에 끝낼 수 있습니다.

4 1명이 1일 일하는 양을 1로 하면, 전체 일의 $\frac{2}{3}$는 $1\times5\times12=60$이므로 전체 일의 양은 $60\div2\times3=90$입니다.
따라서, $90\div9=10$(일)만에 끝낼 수 있습니다.

5 1명이 1일 일하는 양을 1로 하면, 4명이 5일 일하는 양은 $1\times4\times5=20$이므로, 1명이 1일 동안 버는 돈은 $800000\div20=40000$(원)입니다. 그러므로, 6명이 216만 원을 벌기위해서는 $2160000\div(40000\times6)=9$(일) 동안 일을 해야 합니다.

6 1명이 1시간 동안 일을 하여 받은 돈은 $128000\div(4\times8)=4000$(원)이므로, 5시간 일을 하여 30만 원을 받으려면 $300000\div(4000\times5)=15$(명)이 필요합니다.

금메달 따기 p. 87

1 16일	2 24번
3 10대	

1 1사람이 1시간 동안 하는 일의 양을 1로 하면, 전체 일의 양은 $1\times5\times8\times14=560$이므로, $560\div(7\times5)=16$(일) 걸립니다.

2 큰 트럭이 작은 트럭의 2배의 짐을 실을 수 있으므로, 큰 트럭 2대로 30번 옮길 짐의 양은 작은 트럭 4대로 30번 옮기는 짐의 양과 같습니다. 작은 트럭 1대로 1번 옮기는 짐의 양을 1로 하면 전체 짐의 양은 $1\times4\times30=120$이므로, $120\div5=24$(번) 옮겨야 합니다.

3 경운기 1대로 1일 동안 가는 넓이는 $30\div3\div5=2$(ha)이므로, 필요한 경운기는 $80\div(2\times4)=10$(대)입니다.

15 어떤 수량을 주어진 차나 비율로 분배하기

확인문제 p. 88

1 122, 12, 8
2 $\{122-(12\times2+8)\}\div3=30$, 30장
3 예슬 : 42장, 율기 : 50장

3 예슬 : $30+12=42$(장),
율기 : $42+8=50$(장)

동메달 따기 p. 89 ~ 90

1 복숭아 : 11개, 참외 : 13개, 자두 : 16개
2 A : 109개, B : 89개, C : 102개
3 42개 4 40자루
5 36개 6 4800kg

1

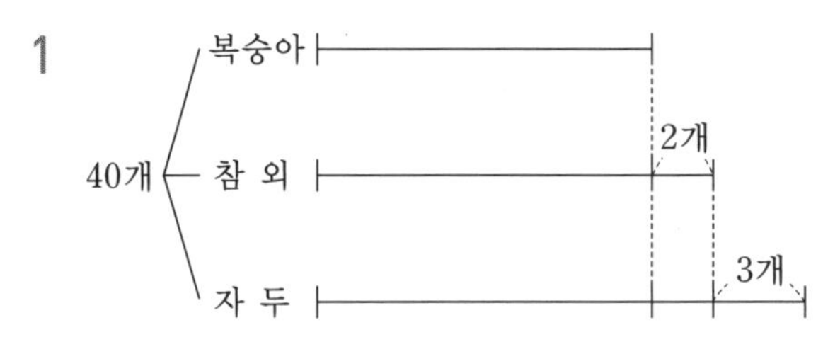

위 선분도에서 복숭아는 $\{40-(2\times2+3)\}\div3=11$(개)이므로, 참외는 $11+2=13$(개), 자두는 $13+3=16$(개)입니다.

2

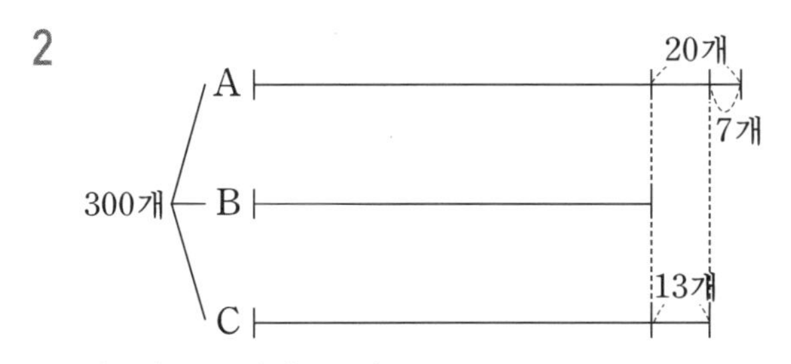

위 선분도에서 물건 B는 $\{300-(20+13)\}\div3=89$(개)이므로, 물건 A는 $89+20=109$(개), 물건 C는 $89+13=102$(개)입니다.

3 한솔이가 가진 사탕 수를 ①, 예슬이가 가진 사탕 수를 ③으로 하여 선분도를 그립니다.

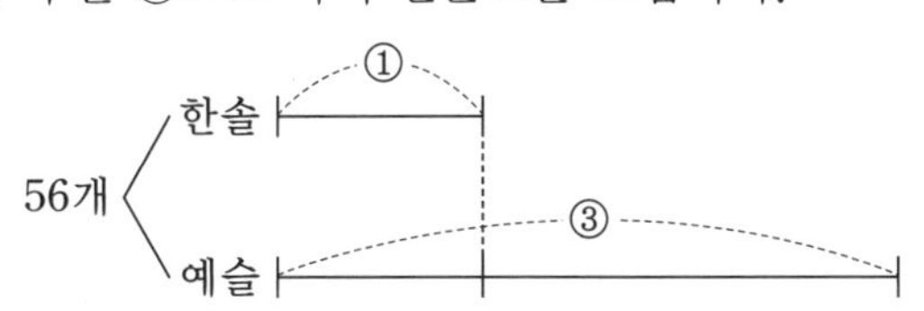

①+③=④가 56개를 뜻하므로, 예슬이의 사탕 수는 $56\div4\times3=42$(개)입니다.

4 효근이가 가진 연필 수를 ①, 한초가 가진 연필 수를 ⑤로 하여 선분도를 그립니다.

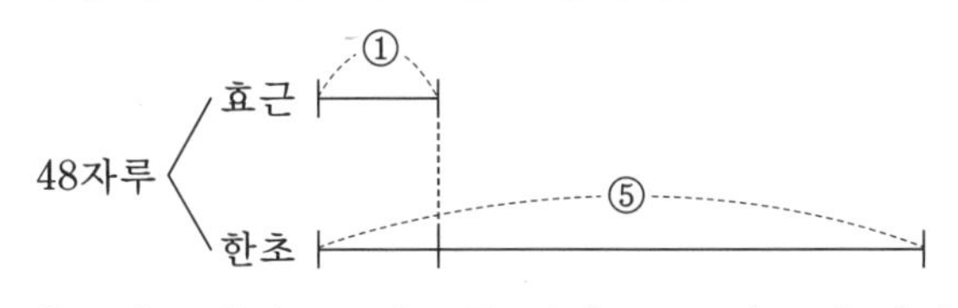

①+⑤=⑥은 48자루를 뜻하므로, 한초가 가진 연필 수는 $48\div6\times5=40$(자루)입니다.

5

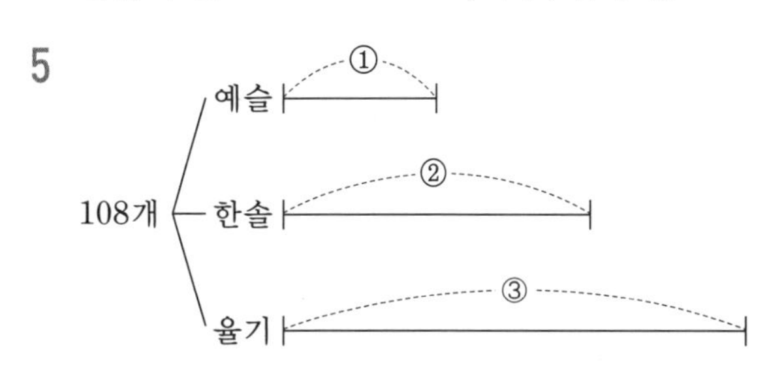

①+②+③=⑥은 108개를 뜻하므로 한솔이는 $108\div6\times2=36$(개)갖습니다.

6

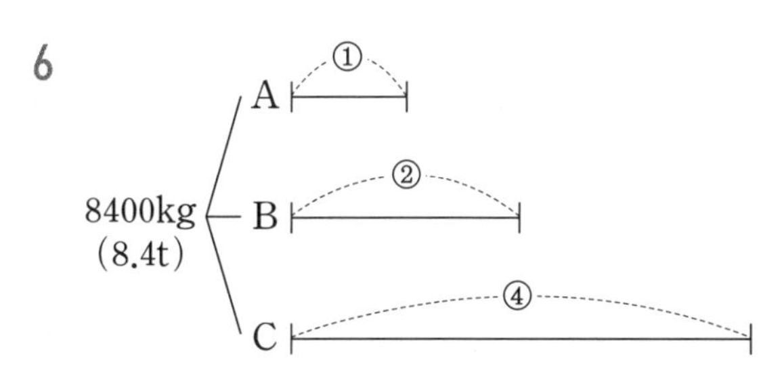

①+②+④=⑦은 8400kg이므로, C 트럭으로 운반한 짐은 $8400\div7\times4=4800$(kg)입니다.

은메달 따기 p. 91 ~ 92

1 88개 2 6200원
3 140cm 4 4700원
5 50장 6 60그루

1

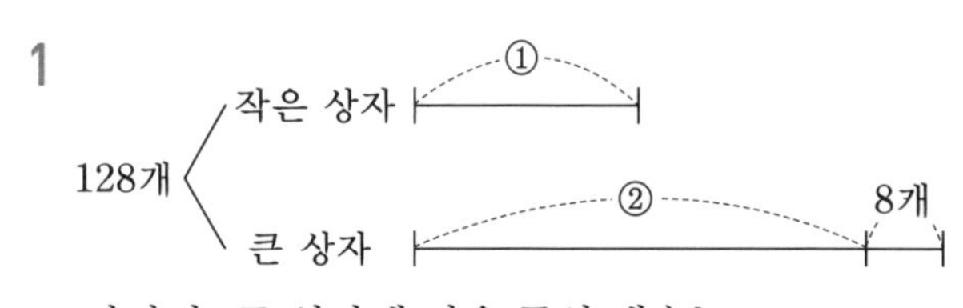

따라서, 큰 상자에 담은 귤의 개수는
$(128-8)\div3\times2+8=88$(개)입니다.

2

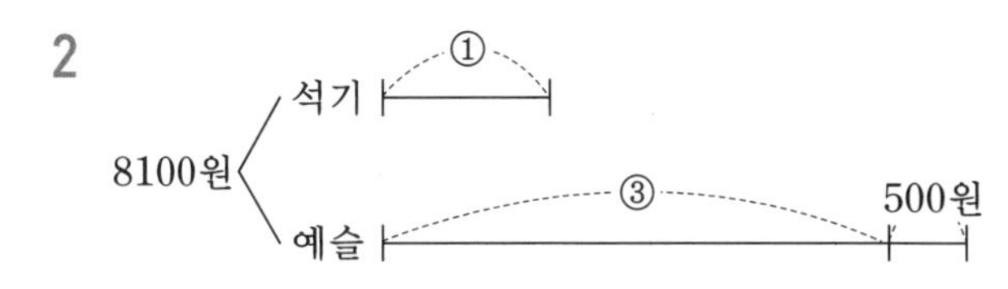

따라서, 예슬이가 가지고 있는 돈은
$(8100-500)\div4\times3+500=6200$(원)

3 짧은 쪽의 길이를 ①, 긴 쪽의 길이를 (③−40cm)로 하여 선분도를 그립니다.

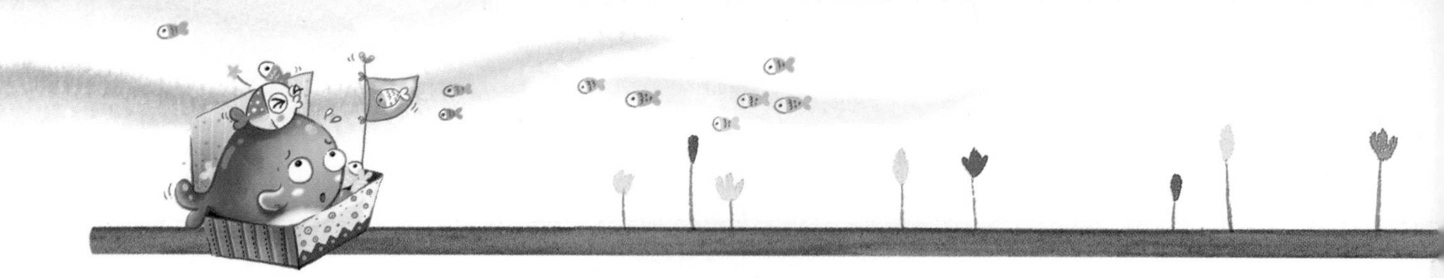

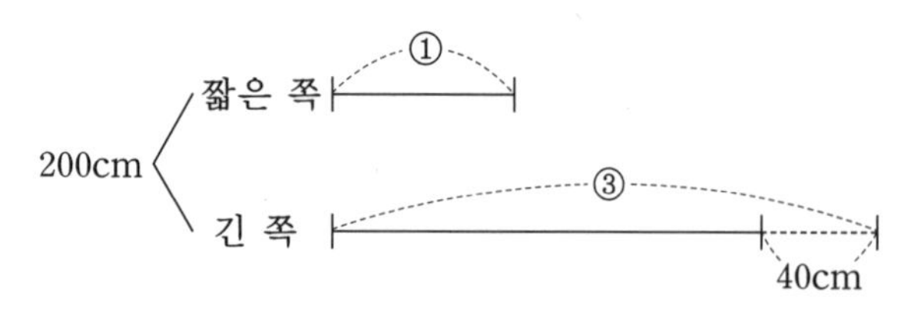

40cm 만큼만 더 있으면 긴 쪽이 짧은 쪽의 3배가 되므로, ①+③=④는 $200+40=240(\text{cm})$를 뜻합니다.
따라서, 긴 쪽의 길이는
$240\div4\times3-40=140(\text{cm})$입니다.

4 필통의 값을 ①, 크레파스의 값을 (②−300원)으로 하여 선분도를 그립니다.

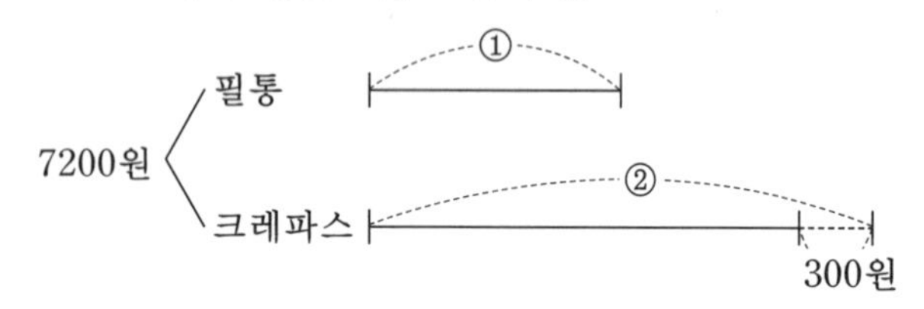

따라서, 크레파스의 값은
$(7200+300)\div3\times2-300=4700$(원)입니다.

5 석기의 색종이 수를 ①로 하면 동민이의 색종이 수는 (($\frac{1}{2}$)+15장)입니다.

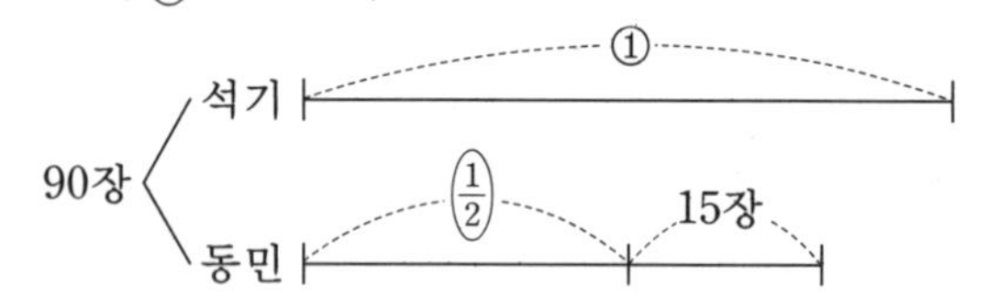

따라서, 석기의 색종이 수는
$(90-15)\div\left(1+\frac{1}{2}\right)=50$(장)입니다.

6 은행나무의 수를 ①로 하면 단풍나무의 수는 (($\frac{1}{3}$)−5그루)입니다.

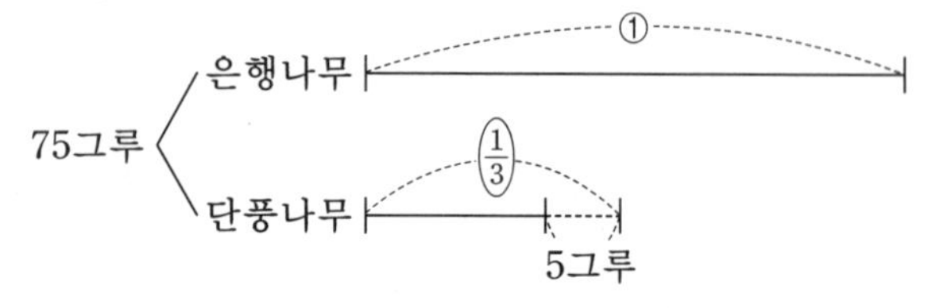

따라서, 은행나무의 수는
$(75+5)\div\left(1+\frac{1}{3}\right)=60$(그루)입니다.

금메달 따기

p. 93

1 16개　　2 1600원
3 17개

1 율기의 바둑돌 수를 ①, 한솔이의 바둑돌 수를 (③+4개)로 하여 선분도를 그립니다.

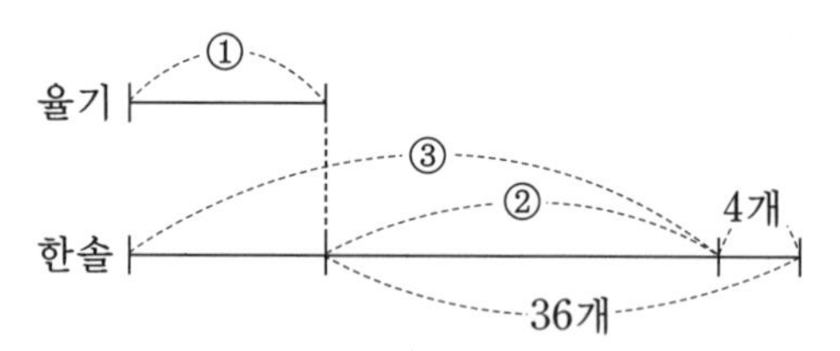

위 선분도에서 두 사람의 선분 길이의 차는 36개이고 이는 (②+4개)를 뜻하므로, ①에 해당하는 율기의 바둑돌 수는 $(36-4)\div2=16$(개)입니다.

2 가영이의 돈을 ①, 예슬의 돈을 (④−300원)으로 하여 선분도를 그립니다.

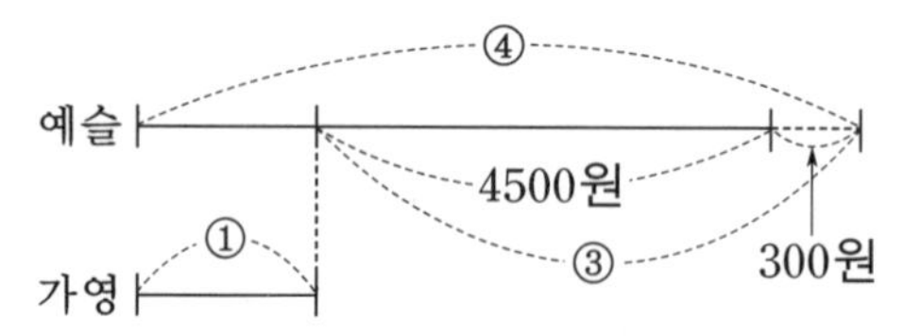

위 선분도에서 ④−①=③에 해당하는 금액은 $4500+300=4800$(원)이므로, ①에 해당하는 가영이의 돈은 $4800\div3=1600$(원)입니다.

3 A 물건은 $50\div2=25$개이므로, B와 C의 합도 25개입니다. C 물건의 개수를 ①, B 물건의 개수를 (②+1개)로 하여 선분도를 그립니다.

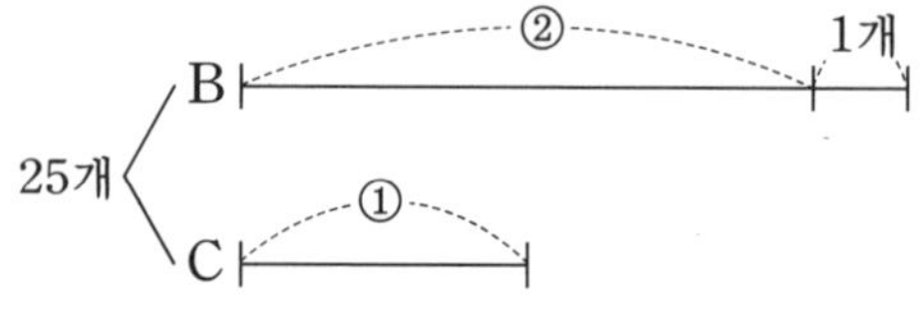

따라서, B 물건의 개수는
$(25-1)\div3\times2+1=17$(개)입니다.

16 중복과 관련된 문제 해결하기

확인문제 p.94

1 60, 35, 40
2 $35+40-60=15$(명)

동메달 따기 p. 95 ~ 96

1 220, 80, 50, 100
2 120명
3 10명
4 45명
5 11명
6 18명

1
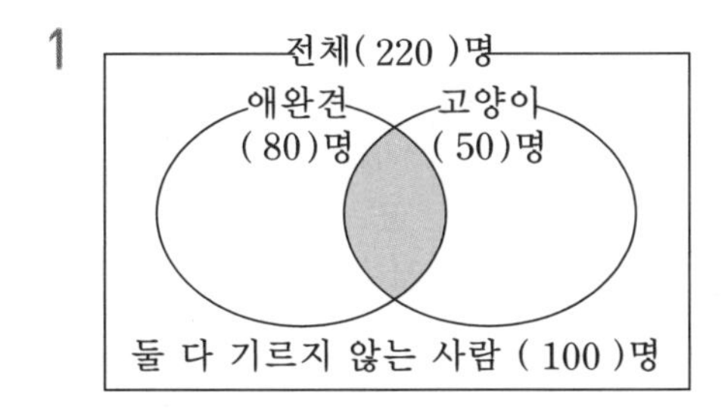

2 $220-100=120$(명)입니다.

3 애완견과 고양이 둘 다 기르는 사람을 구합니다. 따라서, $80+50-120=10$(명)입니다.

4
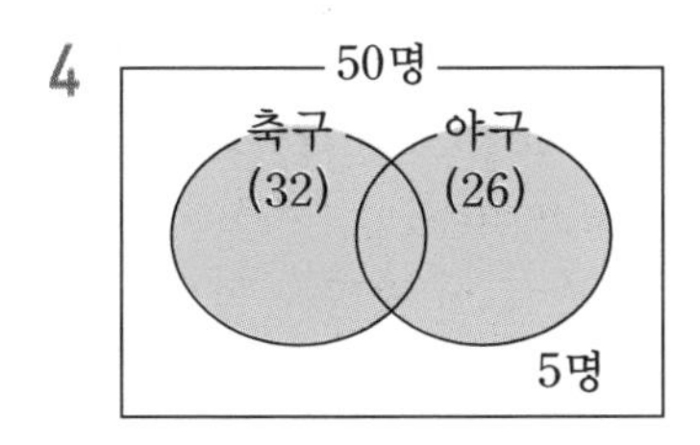

5명 중 축구도 야구도 좋아하지 않는 학생이 5명이므로, 축구 또는 야구를 좋아하는 학생은 $50-5=45$(명)입니다.

5
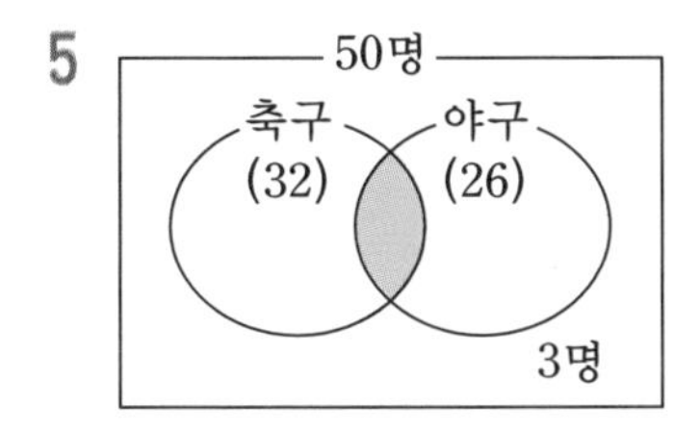

그림의 색칠한 부분에 해당하는 학생 수를 구하는 것이므로, $32+26-(50-3)=11$(명)입니다.

6
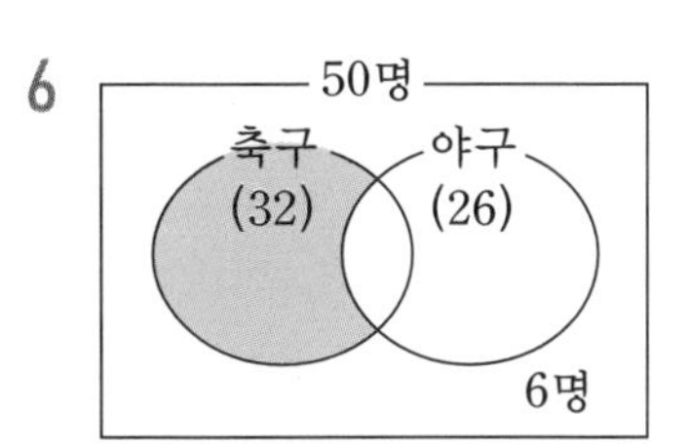

축구 또는 야구를 좋아하는 학생 수는 $50-6=44$(명)이고, 축구만 좋아하는 학생 수는 위쪽 그림의 색칠한 부분이므로, $44-26=18$(명)입니다.

은메달 따기 p. 97 ~ 98

1 100명
2 280명
3 530명
4 50명
5 288명
6 500명

1
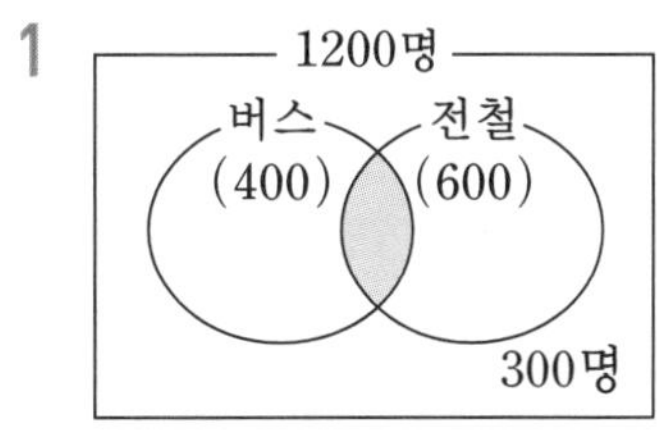

버스 이용자는 $1200\div3=400$(명), 전철 이용자는 $1200\div2=600$(명)이고, 버스 또는 전철 이용자는 $1200-300=900$(명)이므로, 둘 다 이용하는 사람은 $400+600-900=100$(명)입니다.

2
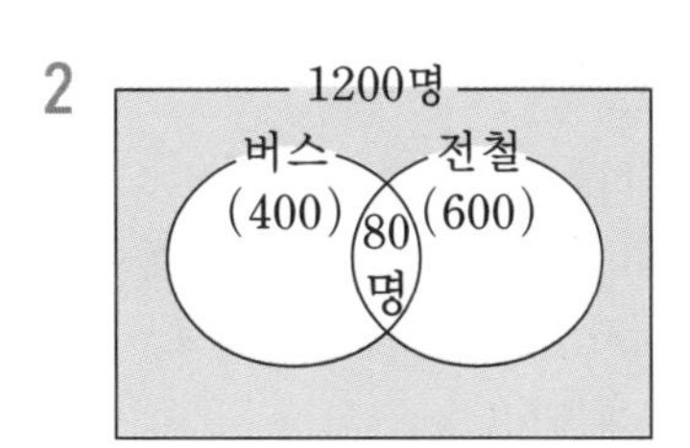

버스 또는 전철을 이용하는 사람 수는 $600+400-80=920$(명)이므로, 둘 다 이용하지 않는 사람 수는 $1200-920=280$(명)입니다.

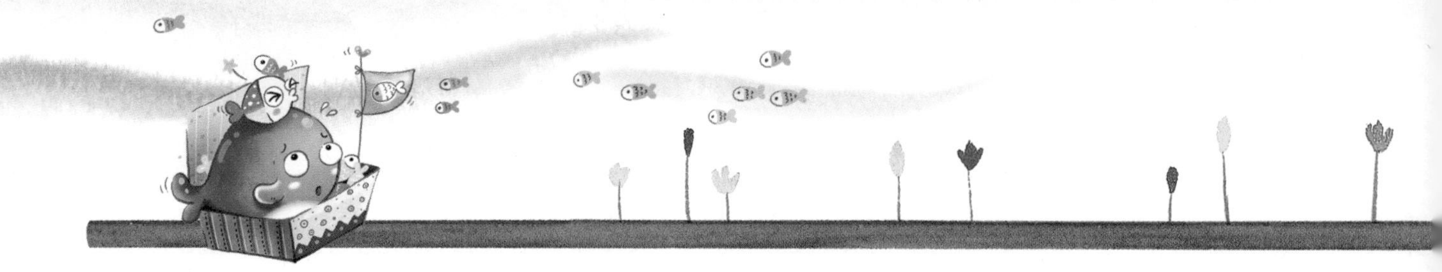

3

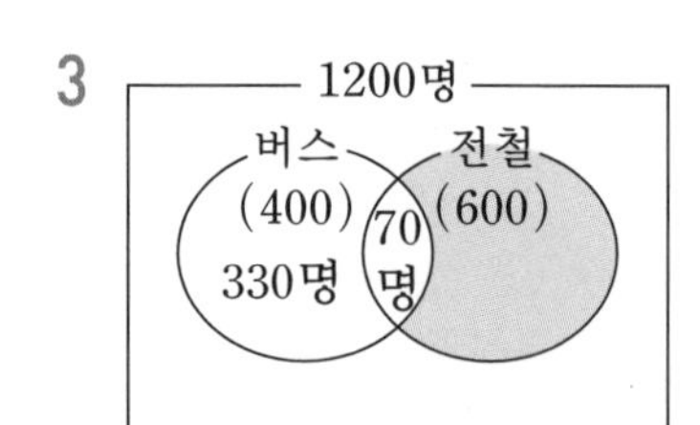

버스만 이용하는 사람이 330명이면 버스와 전철 둘 다 이용하는 사람은 400−330=70(명)이므로, 전철만 이용하는 사람은 600−70=530(명)입니다.

4

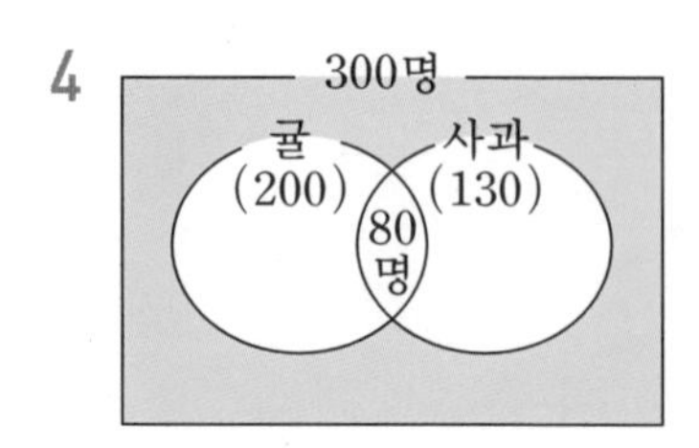

귤 또는 사과를 좋아하는 학생 수는
200+130−80=250(명)이므로, 어느 것도 좋아하지 않는 학생 수는 300−250=50(명)입니다.

5

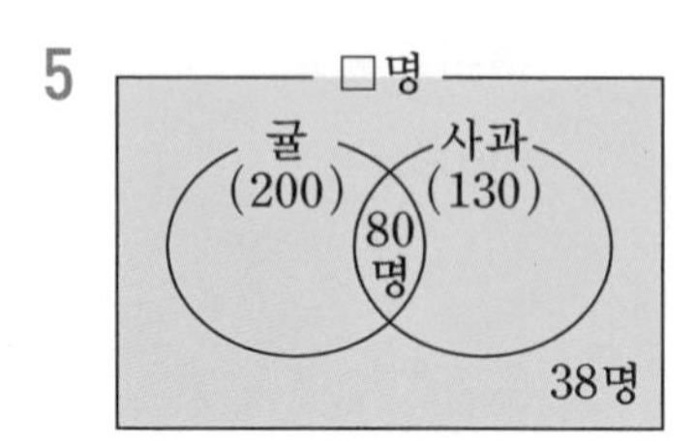

귤 또는 사과를 좋아하는 학생 수는
200+130−80=250(명)이므로, 조사한 학생 수는 250+38=288(명)입니다.

6

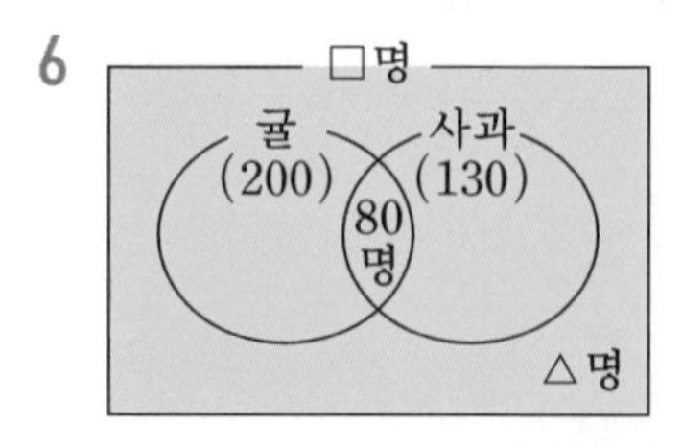

귤 또는 사과를 좋아하는 학생 수가
200+130−80=250(명)이므로, 둘 다 좋아하지 않는 학생 수도 250명입니다. 그러므로,
250+250=500(명)입니다.

금메달 따기 p. 99

1 19가구 2 17가구
3 25가구

1

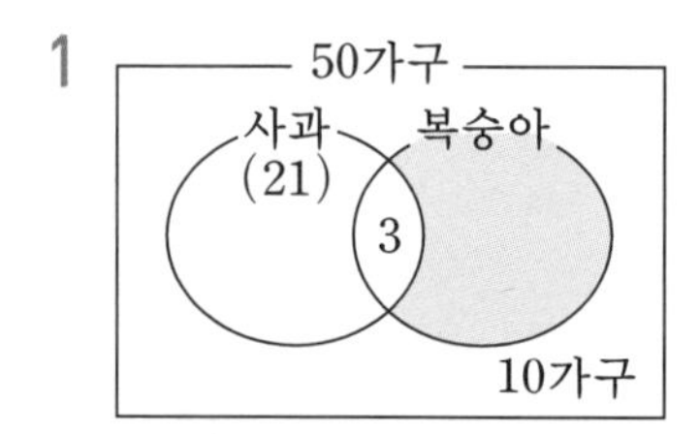

사과나무 또는 복숭아나무를 재배하는 가구는
50−10=40(가구)이고, 사과나무를 재배하는 가구는 21가구이므로, 복숭아나무만 재배하는 가구는 40−21=19(가구)입니다.

2

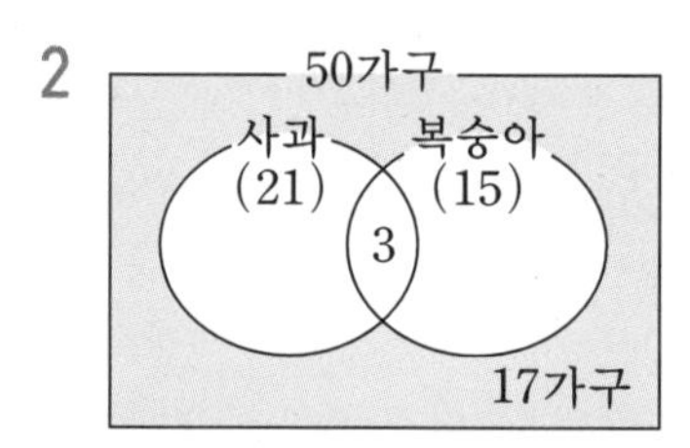

사과나무 또는 복숭아나무를 재배하는 가구는
21+15−3=33(가구)이므로, 어느 것도 재배하지 않는 가구는 50−33=17(가구)입니다.

3

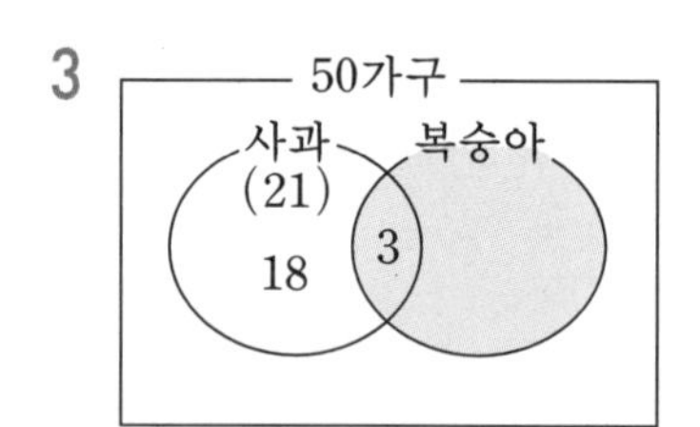

(복숭아나무를 재배하는 가구 수)+(어느 것도 재배하지 않는 가구 수)=50−18=32(가구)입니다. 어느 것도 재배하지 않는 가구 수를 ①로 하면 복숭아를 재배하는 가구 수는 (③+4가구)이므로, ①+③+4가구=32가구에서
①=28÷4=7(가구)입니다.
따라서, 7×3+4=25(가구)입니다.

총괄평가 1회 p. 100 ~ 104

1 714　　2 2100원
3 3000원　　4 342g
5 3cm　　6 52개
7 66그루　　8 4개
9 308개　　10 35명
11 100점　　12 2년 전
13 15L　　14 900원
15 154m
16 사람 수 : 6명, 구슬 수 : 36개
17 의자 수 : 27개, 학생 수 : 210명
18 33명　　19 10마리
20 40자루

1 두 자연수를 각각 선분으로 나타내어 보면 다음과 같습니다.

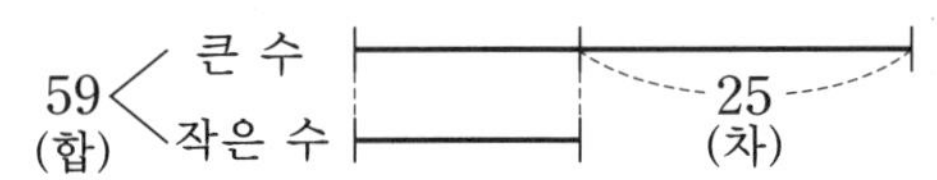

큰 수는 $(59+25)\div2=42$이고, 작은 수는 $59-42=17$입니다.
따라서, 두 수의 곱은 $42\times17=714$입니다.

2 영수가 가진 돈과 동생이 가진 돈을 각각 선분으로 나타내어 보면 다음과 같습니다.

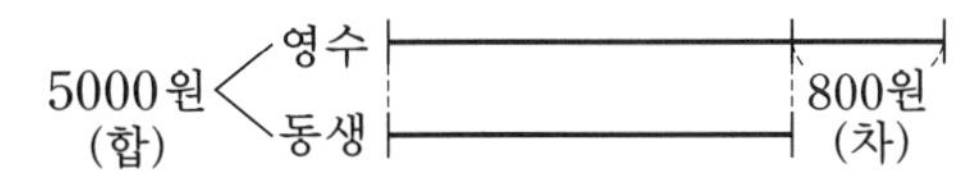

따라서, 동생은 $(5000-800)\div2=2100$(원)을 가졌습니다.

3 450원짜리 공책 2권의 값은 $450\times2=900$(원)입니다.

㉮ ⇄ (+1000 / −1000) ㉯ ⇄ (−900 / +900) 3100

㉯에 들어갈 수는 $3100+900=4000$, ㉮에 들어갈 수는 $4000-1000=3000$입니다.
따라서, 가영이가 처음에 가지고 있던 돈은 3000원입니다.

4 연필 5자루의 무게는 $1230-1045=185$(g)입니다.
따라서, 연필 1자루의 무게는 $185\div5=37$(g)이고, 필통만의 무게는
$1230-(37\times24)=342$(g)입니다.

5 (책 6권)+(공책 9권)=19.5(cm),
(책 10권)+(공책 13권)=31.5(cm)
(책 4권)+(공책 4권)=$31.5-19.5=12$(cm)
따라서, (책 1권)+(공책 1권)=$12\div4=3$(cm)입니다.

6 둘레에 놓인 구슬의 개수를 4묶음으로 생각할 때, 한 묶음에는 $204\div4=51$(개)가 있습니다.
따라서, 가장 바깥쪽의 한 변에 놓인 구슬은
$204\div4+1=52$(개)입니다.

7 2.21km=2210m이므로 도로 한쪽의 간격의 수는 $2210\div34=65$(개)입니다.
따라서, $65+1=66$(그루)가 필요합니다.

8 간격이 $918\div27=34$(개)이므로 길 한쪽에 세우는 가로등의 수는 $34-1=33$(개)입니다.
따라서, 길의 양쪽에 세우는 가로등은
$33\times2=66$(개)이고, $66-62=4$(개)가 부족합니다.

9 반복되는 부분은 ■■▲■▲● 이고, 한 묶음 안에는 사각형이 3개 있습니다.
$615\div6=102\cdots3$에서 반복되는 부분은 102묶음이 되고, 도형이 3개 남습니다.
따라서, 사각형은 $3\times102+2=308$(개)입니다.

10 (5일 동안 식물원의 총 입장객 수)
$=45\times5=225$(명)
(수요일을 뺀 총 입장객 수)
$=52+48+40+50=190$(명)
따라서, 수요일의 입장객 수는
$225-190=35$(명)입니다.

11 (국어, 사회, 과학 세 과목의 총점)
$=84\times3=252$(점)
(네 과목의 총점)$=88\times4=352$(점)
따라서, 수학 시험에서 $352-252=100$(점)을 받아야 합니다.

12 몇 년 전에도 선생님과 가영이의 나이의 차는 $38-11=27$(살)로 항상 같습니다. 몇 년 전의 선생님의 연세와 가영이의 나이를 그림으로 나타

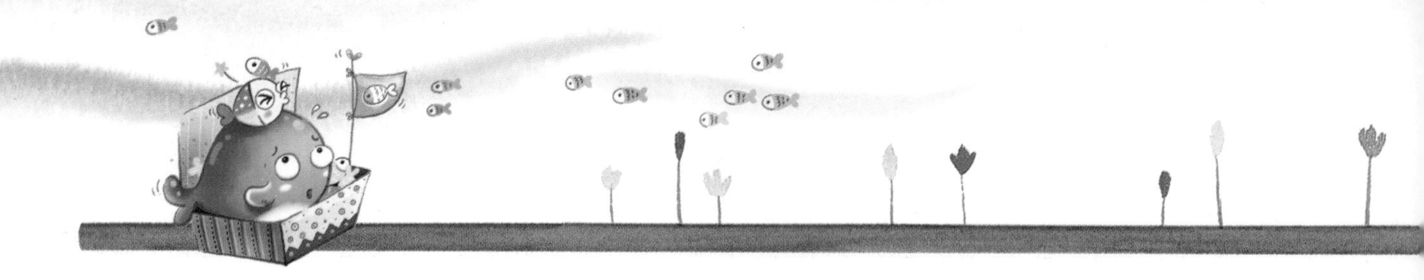

내면 다음과 같습니다.

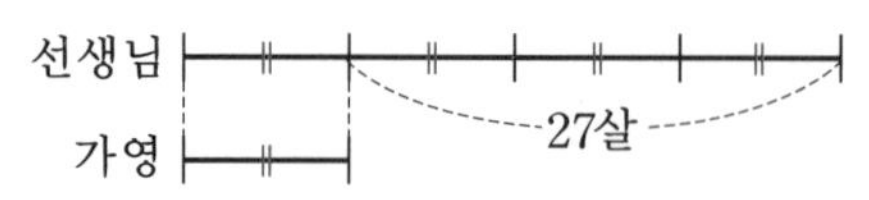

몇 년 전의 가영이의 나이가 $27 \div (4-1)=9$(살)이었으므로 선생님의 연세가 가영이의 나이의 4배가 되었던 것은 $11-9=2$(년) 전입니다.

13 기름을 옮겨 넣은 후의 두 기름탱크의 기름의 양은 각각 $(1800+1350) \div 2=1575$(L)가 되어야 합니다.
따라서, 매분 $(1800-1575) \div 15=15$(L)씩 옮겨 넣은 셈입니다.

14 율기와 영수가 가지고 있는 돈은 모두
$4000+3200=7200$(원)이므로 율기가 영수에게 돈을 주고 난 다음 율기는
$(7200-1000) \div 2=3100$(원)이 됩니다.
따라서, 율기는 영수에게
$4000-3100=900$(원)을 주었습니다.

15 열차가 움직인 총 거리는 $22 \times 57=1254$(m)이므로 열차의 길이는 $1254-1100=154$(m)입니다.

16 사람 수를 □명이라 하면

3개 차이 < 5개 —×□→ 6개 남음, 8개 —×□→ 12개 부족 > 18개 차이

따라서, 사람 수는 $18 \div 3=6$(명)이고, 구슬 수는 $5 \times 6+6=36$(개)입니다.

17 의자 수가 부족한 것은 학생 수가 남는 것으로, 의자 수가 남는 것은 학생 수가 부족한 것으로 생각합니다.
의자 수를 □개라 하면

3명 차이 < 7명 —×□→ 21명 남음, 10명 —×□→ 60명 부족 > 81명 차이

따라서, 의자 수는 $81 \div 3=27$(개)이고, 학생 수는 $7 \times 27+21=210$(명)입니다.

18 안경을 쓰지 않은 학생은 전체의
$1-\frac{8}{11}=\frac{3}{11}$이고 이것은 9명을 뜻합니다.
따라서, 동민이네 반 학생은
$9 \div 3 \times 11=33$(명)입니다.

19 모두 강아지라고 가정하면 다리 수는
$22 \times 4=88$(개), 실제 다리 수는 68개이므로, 병아리는 $(88-68) \div (4-2)=10$(마리)입니다.

20 효근이가 가진 연필 수를 ①, 한초가 가진 연필 수를 ②로 하여 선분도를 그려 보면 다음과 같습니다.

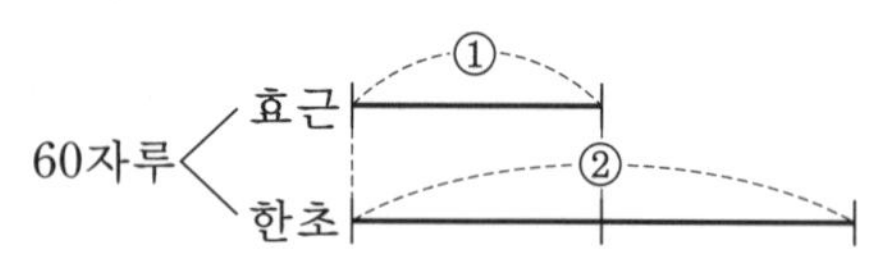

①+②=③은 60자루를 뜻하므로, 한초가 가진 연필 수는 $60 \div 3 \times 2=40$(자루)입니다.

총괄평가 2회 p. 105 ~ 109

1	30m	2	918
3	1500원	4	$1\frac{1}{6}$m
5	192개	6	148장
7	16m 25cm	8	2
9	2	10	2시간 15분
11	18달 후	12	6년 전
13	2000원	14	520m
15	44초	16	52개
17	455cm	18	65
19	72t	20	22명

1 직사각형 모양의 화단의 둘레가 84m이면, 가로와 세로의 길이의 합은 $84 \div 2=42$(m)입니다.
가로와 세로의 길이를 각각 선분으로 나타내어 보면

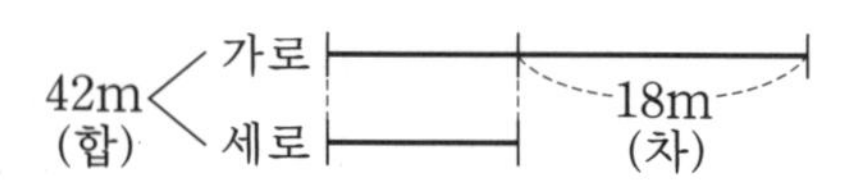

따라서, 가로의 길이는 $(42+18)\div2=30(\text{m})$ 입니다.

2 문제를 그림으로 나타내면

㉮ $\underset{-27}{\overset{+27}{\rightleftarrows}}$ ㉯ $\underset{\times9}{\overset{\div9}{\rightleftarrows}}$ 105

㉯에 들어갈 수는 $105\times9=945$, ㉮에 들어갈 수는 $945-27=918$입니다.
따라서, 어떤 수는 918입니다.

3 어제까지 저금한 돈을 □원이라 하면,
$\square\times4-500=1100$,
$\square=(1100+500)\div4=400$(원)입니다.
따라서, 가영이가 어제까지 저금한 돈은 400원이고, 오늘까지 저금한 돈은 모두
$400+1100=1500$(원)입니다.

4 (노란색 테이프 1개)+(파란색 테이프 2개)
={(노란색 테이프 2개)+(파란색 테이프 3개)}
−{(노란색 테이프 1개)+(파란색 테이프 1개)}
$=2-\frac{5}{6}=1\frac{6}{6}-\frac{5}{6}=1\frac{1}{6}(\text{m})$

5 $(49-1)\times4=192$(개)

6 한 번 더 에워싸면 한 변에 놓인 우표가 38장인 정사각형이 되므로 이 정사각형의 둘레에 놓인 우표의 수를 구하면 됩니다.
따라서, 우표는 $(38-1)\times4=148$(장) 더 필요합니다

7 운동장 트랙에서 깃발의 수와 간격의 수는 같습니다. 간격의 수가 32개이므로
$520\div32=16.25(\text{m})$입니다.
따라서, 16m 25cm 간격으로 꽂아야 합니다.

8 반복되는 1, 7, 2, 6, 3, 5, 4를 한 묶음으로 생각하면 $339\div7=48\cdots3$입니다.
따라서, 339째 번에 올 수는 49째 번 묶음의 3번째 수이므로 2입니다.

9 $17\div22=0.7727272\cdots$이므로 반복되는 숫자들은 소수점 아래 첫째 자리 숫자를 제외한 7, 2입니다. 한 묶음 안에 2개의 숫자가 반복되므로 $214\div2=107$에서 소수점 아래 215째 자리의 숫자는 2입니다.

10 예슬이가 공부한 총 시간을 분 단위로 고쳐 구합니다.
8시간 15분+16시간 30분
=24시간 45분=1485분
따라서, 예슬이는 하루 평균
$\frac{1485}{4+7}=135$(분)씩 공부한 셈이므로 2시간 15분입니다.

11 몇 달 후의 동민이와 영수의 색연필의 개수를 그림으로 그려 보면 다음과 같습니다.

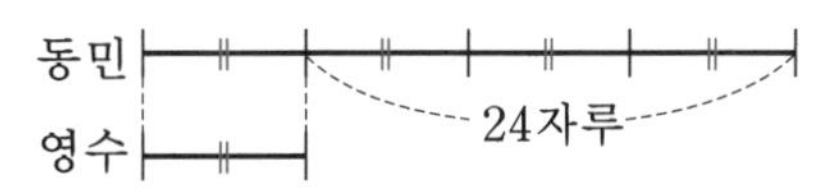

동민이의 색연필의 개수가 영수의 색연필의 개수의 4배가 되는 것은 영수의 색연필의 개수가 $24\div(4-1)=8$(자루)가 되었을 때입니다.
따라서, $26-8=18$(달) 후입니다.

12 올해 용희의 나이는 $(28+8)\div2=18$(살)이고, 동생의 나이는 $28-18=10$(살)입니다.
용희의 나이가 동생의 나이의 3배가 되도록 그림을 그려 보면 다음과 같습니다.

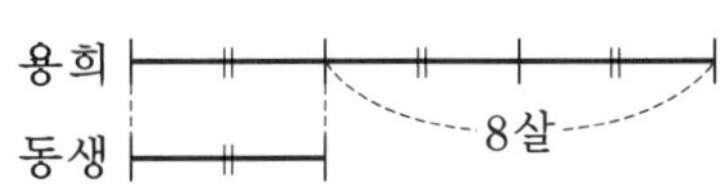

위의 그림에서 용희의 나이가 동생의 나이의 3배가 되었을 때 동생의 나이는
$8\div(3-1)=4$(살)이므로 $10-4=6$(년) 전입니다.

13 같은 금액을 냈을 경우 카드를 20장씩 나누어 가지면 되는데 예슬이가 한별이보다 6장을 더 갖기로 하였으므로 본래 가져야 할 카드보다 3장을 더 가진 셈입니다.

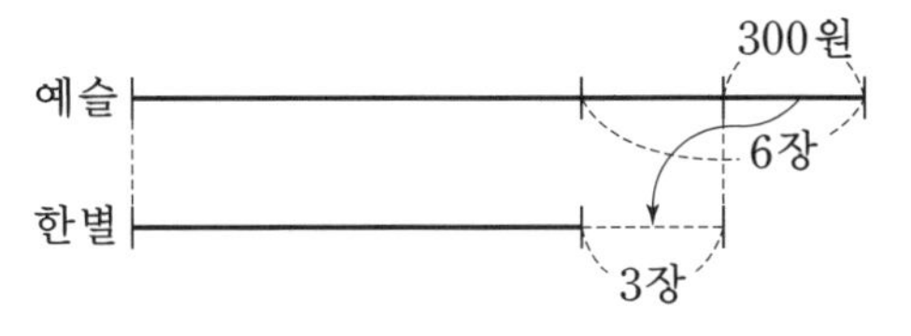

예슬이는 원래 가져야 할 카드보다 3장을 더 가져갔기 때문에 한별이에게 300원을 준 것이므로 카드 한 장의 값은 $300\div3=100$(원)입니다.
그러므로, $20\times100=2000$(원)씩 내었습니다.

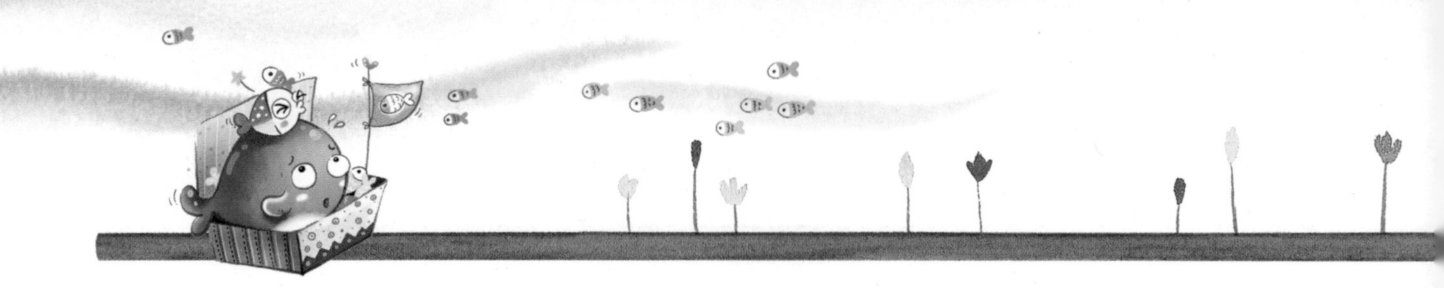

14 버스가 움직인 거리는 $12\times44=528$(m)입니다. 따라서, 터널의 길이는 $528-8=520$(m)입니다.

15 처음 열차가 움직인 거리는 $20\times50=1000$(m)이므로 터널의 길이는 $1000-100=900$(m)입니다.
따라서, 길이가 156m인 다른 열차가 움직여야 할 거리는 $156+900=1056$(m)이므로 터널을 통과하는 데 걸리는 시간은 $1056\div24=44$(초)입니다.

16 사람 수를 □명이라 하면

2개 차이 < 6개 —×□→ 22개 남음 > 10개 차이
8개 —×□→ 12개 남음

따라서, 사람 수는 $10\div2=5$(명)이므로 지우개 수는 $6\times5+22=52$(개)입니다.

17 $260\div4\times7=455$(cm)

18 어떤 수는 $80\div10\times13=104$이므로 어떤 수의 $\frac{5}{8}$는 $104\times\frac{5}{8}=65$입니다.

19 1개의 수도관으로 1시간 넣는 물의 양을 1이라 하면, 2개의 수도관으로 5시간 넣는 물의 양은 $1\times2\times5=10$이므로 1개의 수도관으로 1시간 동안 넣는 실제 물의 양은 $20\div10=2$(t)입니다.
따라서, 구하는 물의 양은 $2\times6\times6=72$(t)입니다.

$$20\times\frac{6\times6}{2\times5}=72(\text{t})$$

20 40명 중 축구도 야구도 좋아하지 않는 학생이 3명이므로, 축구 또는 야구를 좋아하는 학생은 $40-3=37$(명)입니다.
따라서, 축구와 야구를 모두 좋아하는 학생은 $(25+34)-37=22$(명)입니다.

5학년이 꼭 알아야 할
수학 문장제
정답과 풀이
!